La Comendadora,
El clavo y otros cuentos

Letras Hispánicas

Pedro Antonio de Alarcón

La Comendadora,
El clavo y otros cuentos

Edición de Laura de los Ríos

SÉPTIMA EDICIÓN

CATEDRA

LETRAS HISPANICAS

Ilustración de cúbierta: 3.er Curso Diseño Gráfico. Escola Massana.

Ediciones Cátedra, S. A., 1989
Josefa Valcárcel, 27. 28027-Madrid
Depósito legal: M. 34.584-1989
ISBN: 84-376-0045-6
Printed in Spain
Impreso en Lavel
Los Llanos, nave 6. Humanes (Madrid)

Índice

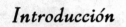

Introducción

Su vida y su tiempo

La vida de Pedro Antonio de Alarcón va íntimamente unida a los vaivenes y ajetreos de la vida política española entre los años de 1854 y 1874. Su infancia y primera juventud transcurren durante las regencias de doña María Cristina y el general Espartero, las guerras entre «carlistas» y «cristinos» y las luchas por el poder de moderados y progresistas.

Pedro Antonio vino al mundo en Guadix, bella ciudad de la provincia de Granada donde vivían sus padres, don Pedro de Alarcón y doña Joaquina Ariza, y sus numerosos hijos, entre los cuales él hacía el número cuatro:

> «fue de noble y distinguida familia, que perdió casi toda su fortuna en la Guerra de la Independencia, durante la cual su abuelo paterno, Regidor Perpetuo de Guadix, vio confiscados sus bienes, fue preso en la cárcel alta de Granada y murió de resultas; todo por haberse opuesto a la entrada de los franceses en Guadix»[1].

La presencia en la familia de la guerra de la Inde-

---

[1] Luis Martínez Kleiser, *Obras completas, de Pedro Antonio de Alarcón,* Madrid, ediciones Fax, 3.ª ed., 1968. «Un viaje por el interior de su alma y a lo largo de su vida», página vi. (Todas las notas y textos referentes a la obra de Pedro Antonio de Alarcón, tanto como los datos biográficos de L. M. Kleiser y M. Catalina siguen esta edición de *Obras completas*.)

pendencia va a ser fondo y raíz de muchas de las obras literarias de Alarcón, como veremos.

Entre los recuerdos que guarda Pedro Antonio de su niñez, figura una capa grana y un sombrero de tres picos «que se conservaba en mi casa —dice— como una reliquia, y que nosotros, los hijos de 1833, irreverentes a fuer de despreocupados dedicamos a mil profanaciones en nuestros juegos infantiles» [2].

Martínez Kleiser nos habla de los estudios de Alarcón: recibió en Granada el título de Bachiller a los catorce años y, por razones económicas de la familia, tuvo que regresar a la casa paterna en Guadix, donde ingresó en el Seminario, permaneciendo en él hasta los diecinueve años; fueron años definitivos en la formación espiritual de nuestro autor, que dejan en su alma un arraigado catolicismo del cual siempre iba a hacer gala y hasta banderín.

En Guadix, el joven Alarcón escribió unas cuantas obrillas de teatro que sus amigos representaban, y aunque no tuvo grandes éxitos en ese campo, siempre se pueden ver, como bien observa Baquero Goyanes, ciertos «resabios» y hasta fórmulas teatrales en la obra posterior del guadijeño.

Alarcón, poco antes de cumplir los veinte años, ahorca los hábitos y, desatendiendo los consejos paternos, huye de Guadix en busca de un mundo más en consonancia con sus ilusiones de escritor y su ideología del momento. ¿Cómo era ese Guadix y esa familia que dejaba atrás? En su libro, *De Madrid a Nápoles,* después de hablar de las glorias pasadas de su ciudad natal, añade con cierto gracejo:

> «Como quiera que sea, cuando yo vine al mundo, Guadix era ya una pobre ciudad agrícola o, por mejor decir, una ciudad de colonos... de la antigua

---

[2] *Obras completas, De Madrid a Nápoles,* pág. 1447.

grandeza sólo quedaba en pie un monumento y ése era la Catedral... la Catedral era el único palacio habitado; el único poder que conservaba su primitivo esplendor y magnificencia; el alma y la vida de Guadix.» [3]

Guadix es una pequeña y pintoresca ciudad colocada en una tierra arriscada, de extrañas formaciones geológicas, con Alcazaba árabe, con abundantes cuevas; sigue impresionando su magnífica Catedral, fundamentalmente del siglo XVIII, pero edificada sobre una mezquita mayor, de la cual quedan algunas huellas en el barroco que hoy despliega.

Alarcón, en su acto de rebeldía ante la autoridad paterna (si pensamos en el ambiente sofocante de la pequeña ciudad), demostró una fuerte personalidad y evidente deseo de afirmar con gesto romántico su individualidad. Había estado colaborando durante un par de años en una revista literaria que se publicaba en Cádiz con el sugestivo título de *El eco de Occidente* y en la que «sus primeros escritos, enviados desde Guadix, habían llamado la atención» [4]. Por ello, marchó a Cádiz y allí permaneció un año hasta lograr algún dinero, y entonces pasó a Granada donde le sorprendió la revolución de 1854. Con esta fecha entramos en el período más romántico de la vida del escritor.

Europa sufría entonces una profunda transformación; la sociedad burguesa se consolidaba con un marcado carácter capitalista y liberal a la vez que empezaban a aparecer las primeras manifestaciones del proletariado junto con el deseo de crear una conciencia de clase. En la vecina Francia se iba a establecer la tercera República con nuevas ideologías de tono revolucionario: anarquismo y socialismo; en Alemania se iba

---

[3] *Obras completas, De Madrid a Nápoles*, pág. 1447.
[4] L. M. Kleiser, *Obras completas*, cita un famoso «Cuadernito autógrafo», que conservaba la familia del escritor en que éste recogió los datos importantes de su vida; pág. vii.

a unificar el Estado bajo la fuerte personalidad de Bismarck, en Inglaterra triunfaba la burguesía liberal victoriana, mientras que en Italia se terminaba el poder temporal del Papa y se hacía la unidad nacional; también en Rusia se dejó sentir un cierto movimiento espiritual y reformador, anunciador de conmociones que no aflorarán hasta principios del siglo XX. En España, las fuerzas de la revolución eran aún débiles y los propios progresistas no estaban muy seguros de ellas. El historiador M. Fernández Almagro resume así este inquieto período histórico:

> «Todo resultaría ya forzado año tras año por circunstancias adversas a la normalización de la vida pública nacional. Forzado el traspaso —1840— de la regencia de doña María Cristina al general Espartero, corazón antes que cabeza del partido progresista, el más avanzado del régimen, contiguo al republicanismo incipiente de «la joven democracia» surgida en 1851. Forzada la emancipación de la reina, a quien se declaró mayor de edad cuando sólo contaba trece años. Forzado el matrimonio de Isabel II con su primo hermano don Francisco de Asís, infante y duque de Cádiz, contraindicado para proporcionar a su cónyuge la felicidad que, física y moralmente, pudiera apetecer. Forzada la sucesión de los gobiernos entre pronunciamientos, golpes de Estado, amagos que en alguna ocasión bastaron, conatos revolucionarios e intrigas de la propia cámara real, o «camarilla». Forzado el juego continuo de constituciones, proyectos y reformas...» [5]

Bien evidente queda en esta cita cuán confusa y falta de timón estaba España durante las regencias y el reinado de Isabel II. A la cabeza del movimiento progresista surgió el general O'Donnell, político ambicioso,

---

[5] Melchor Fernández **Almagro**, *Historia política de la España contemporánea*, 1868-1885, Madrid, Alianza Editorial, 1969, pág. 8.

14

rígido e inteligente. Unas Cortes Constituyentes se iban a ocupar del problema más acuciante de esos años: la decadente economía española. Se dieron leyes para la organización de sociedades de minas y ferrocarriles, para la repoblación forestal y para nuevos trazados de carreteras. Así dice el historiador inglés, R. Carr:

> «Los progresistas confiaban en poder pagar la deuda nacional, no tan sólo realizando el capital agrario de la nación, sino mediante la inversión, que elevaría el nivel de la producción y acrecentaría, por tanto, la riqueza imponible. La fe de O'Donnell en la expansión hizo de él, al menos a este respecto, un auténtico representante del bienio.» [6]

Con los progresistas encontramos a Alarcón en el año de la Revolución, como cabeza del movimiento en Granada:

> «Siendo durante tres días jefe de las turbas desenfrenadas, inmediatamente fundó un periódico republicano... y habiendo escrito en él dos furibundos artículos, uno contra el lujo del clero y otro sobre la incompatibilidad del Ejército y la Milicia nacional, vióse rodeado de mil peligros y persecuciones hasta que la reacción iniciada en Madrid le obligó a dejar Granada y matar al periódico.» [7]

Este paréntesis revolucionario y exaltado del joven guadijeño de veintiún años, coincide con su entrada en el grupo granadino de jóvenes intelectuales y artistas que tanto ha dado que hablar, y con el período de composición de muchos de sus más famosos cuentos e historietas. Fueron estos años granadinos los revoluciona-

---

[6] Raymond Carr, *España 1808-1939*, Barcelona, Ariel, 1968, página 253.
[7] L. M. Kleiser, *Obras completas*. El periódico llevaba el significativo título de *La Redención*, pág. ix.

rios de Alarcón, que luego iba a ganar fama de acérrimo conservador. Allí conoció y trató a otros jóvenes, entre los cuales alguno iba a militar en campos ideológicos bien distintos al suyo. La llamada «Cuerda granadina» ha sido tratada desde distintos puntos de vista por los biógrafos y estudiosos de la obra de Alarcón. Martínez Kleiser dice:

> «Todo cuanto el ingenio, el buen humor, la irresponsabilidad y la inexperiencia pueden discurrir y hacer sin más alcance ni propósito que divertirse, sustentarse honradamente, adquirir notoriedad y llegar al pináculo de fama colectiva, fue norma de conducta de aquella «Cuerda», que improvisaba en los liceos, triunfaba en los teatros, dominaba en el periodismo y daba serenatas en la calle con cuatro pianos llevados a hombros de maravillados portadores.» [8]

Julio Romano, otro de los biógrafos alarconianos, añade:

> «Fue Alarcón uno de los que formaron parte de aquella sociedad de jóvenes artistas de talento, de agudo ingenio y de humor a prueba de desdichas intitualada *La cuerda,* cuyos afiliados, al paso de los años, constituyeron en Madrid la celebérrima «colonia granadina...» El público granadino leía con embeleso los artículos, llenos de gracejo, de estos ingenios; sus poesías, cuajadas de elegancia, de ternura; la intención corrosiva de sus sátiras; el desenfado de buen tono de sus crónicas. Campeaba en todos los trabajos de la juvenil mesnada un humorismo fino y socarrón de tan fuerte solera granadina... Pero la grey literaria la dispersó y conmovió un dramático acontecimiento nacional: la revolución de julio de 1854.» [9]

[8] L. M. Kleiser, *Obras completas,* pág. x.
[9] Julio Romano, *Pedro Antonio de Alarcón. Novelista romántico,* Madrid, Espasa Calpe, 1933, págs. 69 y 70.

16

También me parece interesante lo que de este grupo de jóvenes granadinos cuenta doña Emilia Pardo Bazán, que dice lo que oyó en casa de su amiga la señora de Riaño, casada con uno de los «nudos» de la famosa «Cuerda»:

> «[contaba] anécdotas sabrosas referentes a la «Cuerda» transformada en «Colonia granadina» cuando se trasladó a la corte. Los fastos de la «Cuerda» son el lado bohemio de la vida de Alarcón. Aquella colección de muchachos de tanta chispa, despejo, cultura y facultades literarias, andaba siempre a la cuarta pregunta y si lograba algún dinero se apresuraba a despilfarrarlo con principesca largueza y oriental desdén.» [10]

El crítico y profesor José F. Montesinos, sin duda la figura de nuestras letras que ha hecho más por colocar a Alarcón en su debido sitio, tiene, en cambio, en lo tocante a la llamada «Cuerda», una actitud curiosamente negativa y despectiva. Dice que es poco lo que de ella ha quedado, a no ser una serie de anécdotas pintorescas [11]. Aunque no es éste lugar de ir más allá sobre el período granadino de Alarcón, creo notar una exagerada dureza en Montesinos en cuanto al valor de algunos «nudos» y en cuanto al efecto que el tal grupo de amigos causara en nuestro autor, ya que entre

---

[10] Emilia Pardo Bazán, *Obras completas,* I-III, Madrid, Aguilar, 1973, pág. 1363.

[11] José F. Montesinos, *Pedro Antonio de Alarcón,* Zaragoza, Biblioteca del Hispanista, 1955, pág. 4.

> «En cada uno de los "nudos" que la formaron tuvo resultados funestos: confirmó en ellos la creencia —tan española— de que el arte es juego, de que la poesía surge del ensueño y no es creación de un esfuerzo disciplinado; de que la genialidad, don gratuito, puede ahorrarse toda labor. De aquellos años quedó Alarcón resabiado para siempre, inca-

ellos hubo varios ilustres escritores, profesores y artistas [12]. Don Francisco Giner de los Ríos, que pasó diez años de estudiante en la Universidad de Granada, entre 1853 y 1863, fue amigo de la «Cuerda», de la que era «nudo» importante Alarcón. Jiménez-Landi, en su libro sobre *La Institución Libre de Enseñanza,* señala:

> «[Giner de los Ríos] ...va también a reuniones de la «Cuerda granadina», a la que pertenecen sus profesores Fernández-Giménez y Fernández y González, y en la que conoce a Mariano Vázquez, a Pedro Antonio de Alarcón y a Riaño... De su etapa de estudiante en Granada, Francisco Giner solía no hablar sino para lamentarse del tiempo que allí se perdía con una sola salvedad: la cátedra de Fernández y González, cuya erudición y trato serían de gran aprovechamiento para el joven alumno, según reconoció siempre» [13].

Es interesante el hecho de que don Francisco —seis años más joven que don Pedro Antonio— rara vez hablara de esos diez años de su juventud y que cuando lo hacía fuese para lamentar el tiempo allá perdido,

> paz de estudios sostenidos, de someter su pensamiento a rigores metódicos, juguete de todo lo que podía conmover su espíritu impresionable —tan voluble—. La bohemia de Granada y de Madrid arrastra por algunos años, como una capa vieja, un romanticismo trasnochado que de las letras pasa a la vida y la adultera.»

[12] Véanse: J. Cascales Muñoz, *Historia de la Cuerda Granadina contada por algunos de sus nudos,* Madrid, Tipografía de la *Revista de Archivos* (1926) y del mismo autor, con la colaboración de M. León Sánchez, *Antología de la Cuerda Granadina,* México, 1928. Aparecen entre las figuras que pertenecieron a la «Cuerda granadina»: Fernández-Giménez, Fernández y González, Mariano Vázquez, Pedro Antonio de Alarcón, Juan F. Riaño, Francisco Giner de los Ríos, Manuel del Palacio.

[13] A. Jiménez Landi, *La Institución Libre de Enseñanza. Los orígenes,* Madrid, Taurus, 1973, pág. 116.

18

lo cual, sólo en cierto modo, coincide con la interpretación que J. F. Montesinos nos da. Sin embargo, ¿se puede culpar a la «Cuerda» de la «incapacidad» de Alarcón de «estudios sostenidos» o «rigores metódicos»? ¿No sería más bien una característica personal y temperamental? Sigamos en su carrera al joven Alarcón.

En el año 1855, es decir, un año después de su exaltado entusiasmo revolucionario, le encontramos en Madrid; con la experiencia granadina al frente de *La Redención,* en la corte le ofrecieron la dirección, que aceptó, de uno de los periódicos más temidos por su exaltación antidinástica: *El Látigo.* Años después, él mismo le denominará «furioso diario demagogo». Tuvo corta vida, y en él publicó Alarcón unos artículos durísimos e insultantes contra Isabel II, que llevaron al escritor venezolano y absolutista, Heriberto García de Quevedo, a batirse en duelo con el «terrible libelista» guadijeño. El venezolano, gran tirador, pudo matar al joven Alarcón, pero tuvo la elegancia de tirar al aire «perdonando la vida a tanta hermosa página que le quedaba por escribir al acalorado joven» [14]. Este romántico episodio, del cual fueron testigos el duque de Rivas y L. González Bravo, cierra su vida revolucionaria y dio pie a la leyenda de la conversión del escritor de anticlerical y republicano, en ultramontano y neo-católico, acusación que él siempre negó de una manera obsesiva hasta el final de su vida. No obstante, fue tal el horror a lo que él había sido en esos años juveniles, que hasta su muerte parece que hubiese querido hacer penitencia y confesión pública de su temporal pecado. Por todo ello se le ha acusado de inestabilidad ideológica y ha sido atacado como hombre insincero y acomodaticio.

Desde el año 1857, Alarcón entra de lleno en el

---

[14] E. Pardo Bazán, *Obras completas,* t. III, Madrid, Aguilar, 1973, pág. 1365.

mundo literario-periodístico y es rara la revista donde no se lee su nombre como colaborador. En ese mismo año lo vemos aparecer como cronista de sociedad en el periódico *La Época*. Fue el momento de su entrada en el «gran mundo» madrileño: «iba surgiendo el escritor aplaudido, próspero, mimado, con risueño porvenir, reconciliado con el mundo y consigo mismo» [15]. Y aquel joven de la «Cuerda», provinciano, melenudo libelista y furioso radical, de quien se dijo, cuando era director de *El Látigo,* que tenía «cara de suicida», encontró en la prensa y en la alta sociedad, a la que poco antes había atacado, su nuevo campo de acción. En efecto, Alarcón, en el «gran mundo», fue admirado, escuchado y convertido en hombre de moda. En el salón de la marquesa de Nájera le conoció mi abuela materna, con quien mantuvo amistad, a través de don Luis Rute, tío de ella y gran amigo del novelista. Por cierto, que contaba mi abuela que Alarcón gustaba de ser el centro de atención y que era galante y presumido [16]. De esta época data también su amistad con A. Ros de Olano, poeta y militar, que tendría gran influencia en la futura carrera política de Alarcón. Me parece curiosa, a este punto, la opinión de su biógrafo M. Catalina:

> «Su vida fue, pues, durante dos años una verdadera novela en acción, con todos los accidentes y episodios poéticos y dramáticos que pueden adornar a la más interesante que corra impresa por el mundo... Alarcón fortaleció en este tiempo su espíritu con los conocimientos de la vida real y del corazón humano, aprovechándolos para todas sus obras literarias, recogiendo a la vez un caudal de relaciones y amistades que le ayudaron a fijar definitivamente sus doctrinas en un término medio, tan distante de la anarquía como del despotismo» [17].

---

[15] E. Pardo Bazán, *Obras completas*, t. III, pág. 1367.
[16] Laura García Hoppe de Giner de los Ríos.
[17] M. Catalina, *Obras completas, Biografía...*, pág. 1905.

En esa sociedad brilló Alarcón y allí se inspiró para muchas de sus novelas venideras, y en aquel mundo de intrigas de la Corte isabelina tuvo amores «harto ruidosos».

En 1859 el general O'Donnell declaró la guerra a Marruecos y lanzó su ejército a Ceuta, y el guadijeño sorprendió a todos sentando plaza de voluntario en el batallón, «Ciudad Rodrigo». Él mismo nos dice —siempre en tercera persona— en el cuadernillo autógrafo y transcrito por M. Kleiser:

> «... para él la campaña en África fue como una penitencia o purgatorio que se impuso, a fin de rehabilitarse, para rendir público culto a sentimientos e ideas que había combatido en su primera juventud y que ya veneraba en el profundo de su alma» [18].

Viendo O'Donnell que en Palacio no era posible ser liberal y progresista, decidió hacer un nuevo partido, con lo más lucido del grupo progresista de retaguardia y lo más avanzado de los conservadores. El nuevo partido se llamó «Unión Liberal» y Alarcón entró en él a su vuelta de la guerra de África, movido por su admiración por el general y quién sabe si encandilado por su posible triunfo. El historiador inglés, Raymond Carr, dice sobre este momento español:

> «Desde 1856 a la Revolución de 1868 la historia política de España estuvo dominada por el fallido intento de engendrar una agrupación liberal, resultante abigarrada de los partidos históricos que excluyera los extremos de la revolución y de la reacción cortesana» [19].

Fue un partido de «notables» y entre ellos militaron, a más de Alarcón, Campoamor, López de Ayala y Núñez de Arce. En realidad, como dice Tuñón de Lara,

---

[18] Kleiser, *Obras completas*, pág. xii.
[19] R. Carr, *España 1808-1939*, pág. 283.

fue un partido que recogía a las clases sociales del viejo régimen:

> «Pero dentro de él tiene un aire de "moderno" y muy probablemente es el primer intento de formar unos políticos, a servicio de unas clases sociales cuyos representantes no tienen ya necesidad de ejercer directamente el Poder..., si bien, esos políticos tienen así grandes posibilidades de ser admitidos en ese medio social» [20].

Ciertamente, parece reconocerse un sentido bastante pragmático en esta decisión política de sus veintiséis años. Su popularidad pasó de la sociedad de moda y los lectores de revistas a la masa popular, al empezar a enviar sus relatos y estampas de la acción española de África, primero como artículos periodísticos y luego reunidos en libro, con el título de *Diario de un testigo de la Guerra de África.* Alarcón se convirtió a los ojos de aquellos españoles en un héroe nacional y se fue acercando, aún más, a los hombres de la Unión Liberal y al propio O'Donnell. A España le sirvió esta guerra de poco y le costó muchas vidas, aunque, según el propio O'Donnell, esa guerra tuvo la virtud de levantarla «de su postración» y de unir a los españoles; casi tuvo un cierto halo de guerra santa: el entusiasmo patriotero aunaba a todas las clases sociales contra el «infiel». Alarcón, a su vuelta de África, unido al duque de Tetuán por sincero afecto, puso su pluma al servicio de la Unión Liberal y abandonó su creación literaria por varios años. Él mismo nos dice que con un artículo político diario protestaba,

> «de mil maneras contra la ingratitud y locura que había derribado del Poder a un general tan ilustre y tan apto para gobernar España» [21].

---

[20] M. Tuñón de Lara, *Estudios sobre el siglo XIX español,* Madrid, Siglo XXI de España, 2.ª ed., 1972, pág. 107.

[21] *Obras completas, Historia de mis libros,* pág. 16.

Siguió actuando vivamente en política y empezó sus campañas electorales en Guadix con entusiasmo y éxito, ya que fue elegido diputado por su ciudad tres veces por el partido que con tanto calor defendía.

En 1865, Alarcón contrajo matrimonio con la señorita granadina Paulina Contreras y Reyes, «persona en quien Dios quiso que se juntaran la belleza corporal y la bondad del alma» [22]. Siguió figurando activamente entre los diputados de la Unión Liberal, y en 1866 firmó una protesta con sus compañeros unionistas contra el ministerio presidido por Narváez, razón por la que fue desterrado, primero a París y más tarde confinado en Ganada. Allí, en el Liceo granadino, tomó parte y leyó, con su usual brillantez, a los escritores y artistas de la ciudad un canto épico titulado *El suspiro del moro,* que le valió una medalla de oro.

Desde la caída de O'Donnell en 1865 hasta la muerte de Narváez y la Revolución de 1868 los progresistas quedaron fuera del juego gubernamental, siendo la propia reina·Isabel la causante de que estos grupos se lanzasen a una acción revolucionaria. O'Donnell murió en 1867 y la conspiración entró en una nueva fase con el general Prim y el almirante Topete a la cabeza. Se produjo el choque entre el ejército leal y el revolucionario en la batalla de Alcolea, quedando triunfante la Revolución, conocida con el nombre de la «Gloriosa» (1868). Isabel II abandonó España hacia el destierro y nunca más volvería como reina; el historiador R. Carr apunta con agudeza:

> «Así, el pecado político capital de Isabel II fue que, con su negativa a admitir a los progresistas en el Poder, sometió a dura prueba su fidelidad a la dinastía empujándoles a la revolución» [23].

---

[22] M. Catalina, *Obras completas, Biografía...,* pág. 1908.
[23] R. Carr, *España 1808-1939,* pág. 284.

Alarcón estuvo presente en la batalla de Alcolea (Córdoba), y el partido vencedor, como premio a su entusiasmo y adhesión, le nombró ministro plenipotenciario en Suecia y Noruega, cargo que no llegó a ejercer por haber aceptado el nombramiento como diputado por Guadix. En las nuevas Cortes Constituyentes de 1869 encontramos a un Alarcón acérrimo partidario de los duques de Montpensier para ocupar el trono que había quedado vacante con la Revolución. Otros candidatos fueron presentados por los diferentes partidos, y, más por razones de política internacional que por política interior, ni los duques residentes en Sevilla, ni el príncipe alemán L. Hohenzollern-Sigmaringen, fueron elegidos. El triunfador fue el duque de Aosta, hijo del rey de Italia, que fue Amadeo I de España. Aceptó la corona creyendo contar con la simpatía del pueblo español y el apoyo de las Cortes Constituyentes. Desamparado de la figura que había hecho posible su ascensión al trono —el general Prim—, Amadeo abdica, y el problema del futuro político de España se presenta de nuevo. Alarcón se mantuvo alejado de los gobiernos en el breve reinado de Amadeo I, así como durante la pasajera primera República. En 1872 lanzó un famoso y combativo artículo que tituló «La Unión Liberal debe ser Alfonsina», en el cual propugnaba la teoría de que, en vista de los desastres acarreados al trono por la elevación de un príncipe extranjero y la desafortunada actuación de la República, el país necesitaba al joven príncipe español, Alfonso. Quizá sea éste el último documento político de nuestro autor. Poco sacó de sus años de dedicación a la vida pública; más bien desengaños y quizá falsas esperanzas. Sin embargo, fue tres veces representante en las Cortes por su ciudad natal y dos veces elegido senador; recibió la Gran Cruz de Isabel la Católica y el nombramiento de consejero de Estado.

En 1874, con la Restauración, se liquida la segunda

guerra carlista y España entra en unos años de relativa tranquilidad. Alfonso XII sube al trono ese año y Alarcón vuelve a las letras que tenía abandonadas; éstas y la familia serán su única dedicación hasta el final de su vida activa; años de gran fecundidad, en los cuales ganó prestigio y fama. Dejó de frecuentar la alta sociedad, tan buscada en época no muy lejana de su vida, y a los cincuenta años, en una carta a su amigo don Luis Rute, escribía decaído y triste: «Estoy viejo y enfermo.» ¿Sentiría ya los primeros síntomas de la enfermedad que le amenazaba? «Plantó su tienda» en una finca en Valdemoro y allí escribió sus más famosas novelas.

En el año 1876, Alarcón, «con casi unanimidad de votos», tomó posesión de su sillón de académico de número de la Real Academia Española, haciendo lectura del célebre discurso titulado *La moralidad en el Arte,* que, unido a la tesis de su novela *El escándalo,* publicada un año antes, fue causa de tremendas controversias entre los «modernos», que le acusaron de ultramontano y neocatólico, y sus admiradores conservadores, que le defendían a capa y espada.

Sabemos cuán lejos estaba Alarcón en todos estos años de vida política, de los hombres reformadores en el campo de las ideas, y con cuánta virulencia les atacaba como peligrosos enemigos de la Iglesia; sin embargo, no se encuentran acusaciones personales contra ninguno de los krausistas ni entre éstos contra él: más bien un cierto silencio respetuoso por ambas partes, tan raro en ese apasionado período de nuestra historia.

De los años de 1873 a 1883 escribe lo más importante de su novelística con gran ímpetu y entusiasmo. Se inicia su retorno a la creación literaria con *La Alpujarra* (1873), a la que sigue la pequeña joya, *El sombrero de tres picos* (1873-1874), y un año después, *El escándalo,* su novela preferida, la que va a pedir a su familia le lean poco antes de morir. En 1879 termina *El Niño de la Bola,* que publica en 1880, y en 1881, *El capitán Veneno,* que le valió el elogio de Menéndez y Pelayo, que le llamó «narrador maravilloso». Su última novela, *La pródiga,* aparece en 1882. Dejó algunos artículos que se habían publicado en distintas revistas, como *La ilustración española y americana,* de *Viajes por España,* recogidos para que se publicasen en su día como libro póstumo, titulándolo *Últimos escritos.* Nueve años más vivirá don Pedro Antonio, pero vencido por la enfermedad. En 1888 tuvo el primer ataque de hemiplejia y después de repetirle dos veces más, murió el 19 de julio de 1891 rodeado de «su mujer y sus cinco hijos» [24]. Su testamento es un documento interesante por poner de manifiesto un aspecto de la personalidad de Alarcón, desconocido para muchos de sus contemporáneos:

> «el Testamento, que se abrió la noche de su muerte, disponía para sus restos, el entierro más humilde, prohibía honores y coronas y mandaba ser enterrado en la fosa común, sin que en su sepultura se pusiera lápida ni inscripción alguna» [25].

Curiosa disposición de última voluntad de un hombre que durante toda su vida gustó de ser oído y admirado, que fue ciertamente sensible al éxito y la fama y en quien la modestia no fue la principal cualidad.

La obra literaria de Alarcón

En dos grandes movimientos literarios se suele dividir la historia de la literatura española del siglo XIX:

[24] M. Catalina, *Obras completas, Biografía...,* pág. 1912.
[25] M. Catalina, *Obras completas, Biografía...,* pág. 1913.

el romanticismo y el realismo. Cuando alrededor de los años cuarenta la *moda* romántica pasa, se va hacia actitudes más conservadoras y realistas. Como dice el crítico de este período, Vicente Llorens:

> «Atrás quedan con el romanticismo la guerra carlista, las reformas de Mendizábal y la regencia de Espartero. Larra se había suicidado, Espronceda había muerto. El ciclo abierto por *Don Álvaro* quedó cerrado con *Don Juan Tenorio,* cuyo autor acaba por alejarse de España. Se entra en la era isabelina de la moderación y la mediocridad, de la Guardia Civil, los negocios de bolsa y los ferrocarriles con capital extranjero, que tiene a Ventura de la Vega como figura prominente en la literatura dramática y a Fernán Caballero en la novela» [26].

Nuestro romanticismo, a pesar de ser con relación al europeo un movimiento tardío y breve, deja profunda y duradera huella en la literatura española. Sin embargo, en la novela romántica sólo dos nombres de relevancia se pueden citar: Mariano José de Larra y Gil y Carrasco. Hay que esperar a la próxima generación, la de los costumbristas, para poder encontrar escritores de prosa castiza y jugosa, aguda en la presentación y observación de tipos populares, bien madrileños, como Mesonero Romanos, o andaluces, como en Estébanez Calderón. Son ellos, con doña Cecilia Böhl de Faber, la «Fernán Caballero», los que dejarán profunda y marcadísima huella en los escritores más jóvenes e inmediatos: Juan Valera y Pedro Antonio de Alarcón.

En España toda la revolución europea de 1848 se traduce, como hemos visto, en convulsiones y pronunciamientos que poco atañen a la estructura básica del país, aunque algo quede, a pesar de todo, en el terre-

---

[26] Vicente Llorens Castillo, «Liberales y románticos», *Nueva revista de la Filología Hispánica,* Colegio de México, México, 1954, págs. 360-361.

no económico y, más marcadamente, en el cultural. Se pasó de la exaltación del «yo» y las glorias de nuestro pasado a la observación de lo que «realmente sucede en nuestros pueblos». Pero los nuevos escritores, aunque quieren adaptarse a una nueva técnica y a una objetividad extraña a sus simpatías personales, no pueden deshacerse de la caraga romántica y son los que forman esa generación que unos críticos llaman de «encrucijada post-romántica», otros de «realismo idealista» y los más denominan «post-romanticismo».

Sin duda, el escritor más representativo de esta «encrucijada» es Alarcón, a quien en las *Historias* de la literatura se suele siempre colocar con don Juan Valera —nueve años mayor que él— y con don José María de Pereda —nacido en su mismo año—. Forman los tres la que se denomina primera generación realista; aparte, y diez años más joven que Alarcón y Pereda, aparece Benito Pérez Galdós, el gran creador de nuestra novela contemporánea, el escritor de difícil encasillamiento. Como dice J. Casalduero:

> «Para Galdós la novela es la tercera dimensión de la historia. La novela nos entrega al hombre y la sociedad vivos, mientras la historia relata hechos y acontecimientos» [27].

Fue Galdós lazo de unión entre la primera generación, conservadora, y la siguiente, formada por doña Emilia Pardo Bazán, Leopoldo Alas «Clarín» y Palacio Valdés, los llamados escritores naturalistas. Galdós, que vive hasta 1920, también vio y observó la aparición de una nueva generación, la del 1898. Ésta hereda un pasado inmediato, realista y naturalista, y un pasado más lejano, de un romanticismo lírico y subjetivo. Ángel del Río propone, acertadamente, que la

[27] J. Casalduero, *Vida y obra de Galdós*, «Biblioteca Románica Hispánica», Madrid, Gredos, 2.ª ed., 1961, pág. 44.

generación primera de novelistas se llame de 1874, por ser el año en que aparecen las obras más importantes de los autores de la primera generación (*Pepita Jiménez, El sombrero de tres picos;* un año después, *El escándalo,* y el 73 empieza Galdós la primera serie de los *Episodios nacionales*): y ser además 1874 el año de la Restauración y del triunfo del espíritu conservador que, salvo Galdós, todos ellos profesaban [28]. Todo ello hace que la crítica de estos últimos veinte años se preocupe por reenfocar la literatura del siglo XIX, teniendo en cuenta cada una de las personalidades que la integran en virtud de su vida, de su circunstancia y de su obra, menos ligados a la idea de grupo o generación, y prestando más atención a su respectiva producción literaria. Este es el caso de Alarcón.

Pedro Antonio de Alarcón fue un escritor precoz que desde «los albores de sus días» componía poesías, que a los quince años estrenó, como dijimos, tres obrillas teatrales y que a los dieciocho años se lanzó a completar *El diablo mundo,* trabajo que destruyó en Madrid cuando supo que lo había hecho ya M. de los Santos Álvarez [29]. De este año 1851 es su primera novela, *El final de Norma,* iniciada sólo cuando contaba diecisiete años y que, como un documento romántico, presenta la crisis de un adolescente; no obstante, serviría de modelo a sus novelas de madurez [30]. Pensaba que *El final de Norma* fuese la primera parte de una obra dividida en cuatro, que se hubiera llamado con alarconiano título: *Los cuatro puntos cardinales.* Es un viaje fantástico «cuando sólo conocía del mundo y de los hombres —dice— lo que me habían ense-

---

[28] Ángel del Río, *Historia de la literatura española,* N. Y., Holt, Rinehart and Winston, 1963, t. II, pág. 180.

[29] *Obras completas,* Alarcón, *Historia de mis libros,* páginas 4 y 5.

[30] Andrés Soria Ortega, «Ensayo sobre Pedro Antonio de Alarcón y su estilo», Madrid, *Boletín de la Real Academia Española* (1951-1952), parte 1.ª, pág. 86.

ñado mapas y libros» [31]. Alarcón soñaba desde su Guadix, donde leía incansablemente, y sin método alguno, a Walter Scott, Alejandro Dumas, Víctor Hugo y, algo después, por hallarlos «más profundos y sensibles», a George Sand y Balzac.

La huida de la casa paterna inicia un rompimiento, más físico que espiritual, con el mundo de la provincia granadina, con el de sus primeras lecturas y escritos. Cádiz y Granada van a ser su residencia en los años de colaboración en *El eco de Occidente.* En esta revista ven la luz los cuentos y relatos que aparecen hoy en sus *Obras Completas,* fechados de 1852 a 1854. En este año, tan importante para la historia española y para la vida de nuestro autor, después de su intentona revolucionaria granadina, parte para Madrid. Fue el año más fecundo de su juventud, que ya en sus primeros escritos mostraba «más corrección y facilidad que muchos periodistas de prestigio que hacían bulla en la Corte» [32].

Nuevas influencias, a través de amigos y lecturas, se van a manifestar en su obra a partir de su llegada a Madrid. El escritor, humorista y afrancesado, Agustín Bonnat, amigo del guadijeño, fue el introductor de un estilo, en boga entonces, y característico del escritor francés Alphonse Karr, que Alarcón dio en imitar, según él mismo confirma, «en diez o doce novellillas estrafalarias y bufonas», de las que se arrepiente y reniega años después. Fue una etapa de escaso valor literario, de tono burlesco y paródico, a la que los escritores «post-románticos», con una ironía muy característica de su indecisa postura, se lanzan tomando el arte como juego [33]. Ciertos resabios de este estilo a lo Karr van a quedar en la obra de Alarcón; una cierta

---

[31] *Obras completas,* P. A. Alarcón, *Historia de mis libros,* página 6.
[32] J. F. Montesinos, *Pedro. Antonio...*, pág. 8.
[33] J. F. Montesinos, *Pedro Antonio...*, págs. 21-24.

frivolidad, frases breves, sin verbo, etc. [34]. En esos años madrileños, Alarcón traba amistad con «los raros», «como M. de los Santos Álvarez y Ros de Olano» [35], escritor poeta y militar con quien, como hemos dicho, tuvo estrecha relación años después en la campaña de África. También entró por estos años en tertulias y corrillos literarios; en 1857 alterna en el «Ateneo» y ese mismo año, lleno de seguridad en sí mismo y deseoso de «llegar», estrenó en la corte su drama, *El hijo pródigo,* que fue un tremendo fracaso de crítica y causa de que se apartara para siempre del teatro, que vimos había sido su primera vocación. Son años que dedica a retocar, ordenar y a reescribir obras escritas en Guadix, Granada y Cádiz. Al análisis de esta manera tan característica alarconiana de reescribir su obra primera, dedica su libro sobre Alarcón el crítico a que tantas veces acudimos, a lo largo de este trabajo, J. F. Montesinos. Alarcón, de una manera juvenil, impulsiva e instintiva, dejándose llevar por la inspiración del momento y sin unas teorías estéticas arraigadas ni una seria formación literaria, no podía romper, con su raíz romántica, que representa para él el ideal, la pureza y la belleza, aunque el romanticismo, como escuela, estuviera en la prosa ya agotado.

En 1859 vimos que Alarcón emprende su hazaña patriótica; sus crónicas de las «gloriosas» acciones españolas en África se convierten en el libro, *Diario de un testigo de la guerra de África.* El éxito fue formidable y le produjo fama y pingües ganancias, como él mismo reconoce y confirman sus biógrafos. La obra, sobremanera desigual, podría ser hoy una de sus crea-

---

[34] M. Baquero Goyanes, «El cuento español en el siglo XIX», *Revista de Filología Española,* Madrid, 1949, pág. 432.
[35] Joaquín Casalduero, *Espronceda,* «Románica Hispánica», Madrid, Gredos, 1961, pág. 200, sobre el prólogo de Ros de Olano a *El Diablo Mundo* y su importancia.

ciones llamadas a pasar a «páginas escogidas», ya que
tiene algunos cuadros, descripciones y tipos de excelente factura frente a un vacío y gritón patrioterismo
muy del siglo XIX[36]. Poco después, y con los ahorros
que el éxito del *Diario*... le había producido, Alarcón
va a llevar a cabo uno de sus sueños más viejos: via-
jar. Su primer viaje fuera de España fue por Francia,
Suiza e Italia, y recogió sus impresiones en un curioso
libro, *De Madrid a Nápoles* (1861), curioso, sobre todo, más que por sus entusiasmos arqueológicos por lo
que en él vemos de Alarcón. Es importante señalar
que este libro le valió un cariñoso y elogiosísimo artículo de Mesonero Romanos en *La Ilustración Española y Americana*. Aquí termina la primera época literaria de Alarcón; la política interrumpe su vocación
por unos doce años y a ella vuelve en 1873, con una
preciosa obra que, en cierto modo, es también uno de
sus libros de viaje: *La Alpujarra,* ya que fue aquella
región granadina campo de sus actividades electorales.
La región, aun hoy poco frecuentada, en el corazón de
Sierra Nevada, bellísima por sus castañares, campos de
lino y frutales exquisitos, manantiales, ríos y nieves
perpetuas, conservaba costumbres todo lo tradicionales
que nuestro autor pudiera desear. Aunque es una obra
eminentemente periodística, alrededor del problema po-
lítico-social, y con más o menos solapada tesis espiritualista, tiene páginas de recreación histórica y algunos
cuadros costumbristas de gran encanto para el lector

[36] A. Soria Ortega, *Ensayo sobre Pedro Antonio de Alarcón...*, B. A. E., parte 2.ª, pág. 498:

> «La crítica moderna ha comparado esta obra alar-
> coniana con otros surgidos también ante la guerra
> de África. Valbuena compara el *Diario* con las *No-
> tas marruecas de un soldado*, de Jiménez Caballero.
> Nosotros añadiríamos para ampliar esta línea de «li-
> teratura bélica africanista», *Imán,* novela de la úl-
> tima guerra marroquí rifeña, de Ramón J. Sender,
> cuyo episodio fue la rota de Annual».

de hoy que no encuentra nada que lo iguale, sobre esta región, hasta la deliciosa obrita del escritor, G. Brenan, *Al sur de Granada* [37].

Alarcón fue, desde su adolescencia, apasionado viajero, en mapas y geografías, por países septentrionales y fantásticos. Soñaba con llevar a cabo estas visitas, pero años después de su salida a la Europa meridional, y después de sus visitas a las tierras de su región granadina, emprende una serie de viajes por la península, de los que va a dejar constancia y algunas sabrosas páginas en *Viajes por España,* que lleva al final un índice cronológico curioso, pues empieza enumerando sus viajes en burro por la provincia desde 1864 y termina en 1883, con su último viaje a Córdoba. Pensó escribir un mapa poético de España, que quedó en el tintero, así como un segundo libro con el título de *Más viajes por España* [38]. Antes de terminar con estos viajes, hay que decir que, no sólo nos hacen pensar en «las andanzas de los escritores del 98» [39], sino en las primeras de un poeta paisano suyo que también salió de su mundo granadino en busca de nuevos horizontes, dejando constancia de sus impresiones y viajes por España en su primer libro [40].

En 1874 publica Alarcón *El sombrero de tres picos,* que marca el punto más alto a que llegó como novelista, narrador brillante, de estilo fácil y evidente gracejo. La novelita, ambientada en un mundo por él bien conocido, el de su tierra, es la recreación de un pasado muy presente en su vida, el de su abuelo, más la incorporación de ciertos romances y cuentecillos populares que andaban de boca en boca, siendo él niño.

[37] Gerald Brenan, *Al sur de Granada,* Madrid, ed. Siglo XXI de España, 1974.
[38] *Obras completas, Viajes por España,* pág. 1192.
[39] A. Soria Ortega, *Ensayo sobre Pedro Antonio de Alarcón...,* parte 2.ª, pág. 496.
[40] Me refiero al primer libro de Federico García Lorca: *Impresiones y paisajes,* Granada, 1918.

Alarcón tenía cuarenta y un años cuando escribió esta pequeña obra de arte; fue, y sigue siendo, su único éxito indiscutido. Muchos fueron los críticos entusiastas entre sus contemporáneos; doña Emilia Pardo Bazán exclama:

> «Toda España vio, saboreó y ensalzó la primorosa obrita, tan acabada, tan fresca» [41].

Últimamente, la novelita ha merecido un valioso análisis estructural de Oldrich Bëlic y en esta misma colección ha aparecido, con una acertada Introducción de A. López-Casanova. Vicente Gaos, el crítico y poeta, prepara una edición para Clásicos Castellanos. Sabemos que Alarcón ofreció el tema de «El corregidor y la molinera» a Zorrilla para que escribiera una comedia y que éste no recogió la idea, pero Alarcón, consciente de su esencia novelesca y teatral, publicó su obra, que alcanzó inmediato éxito. En diez años se hicieron ocho ediciones, se tradujo a diez lenguas, se basaron en ella dos operetas, y años después serviría de inspiración para el famoso Ballet, con música de don Manuel de Falla, libreto de Martínez Sierra y figurines y decorados de Picasso: la obra ha pasado al repertorio de los Ballets internacionales [42].

En 1875 Alarcón escribe en El Escorial, y a raíz de la muerte de uno de sus hijos, *El escándalo,* una de las tres novelas «grandes» que suele considerarse como punto de partida de una nueva manera de novelar

---

[41] E. Pardo Bazán, *Obras completas,* t. III, *Crítica literaria,* página 1375.

[42] Del Ballet de Falla hubo una primera versión estrenada en el teatro Eslava de Madrid en 1917, titulada *El corregidor y la molinera,* con libreto de G. Martínez Sierra, que en 1919 se convirtió, enriquecida y aumentada musicalmente, en *El sombrero de tres picos* y que se estrenó en el «Alhambra Theatre» de Londres con coreografía de L. Massine: ésta es la versión de que hoy gozamos.

ambiciosa, de carácter tendencioso y moralizante. Atrás queda el primer Alarcón, el de los relatos cortos aquí incluidos, el de las historietas y cuadros de costumbres, el de *La Alpujarra* y *El sombrero de tres picos*. El propio autor relata la lenta gestación de esta novela que años antes inició y luego abandonó, hasta escribirla en unos pocos días de verano. Alarcón cuenta, con palabras saturadas de luctuoso romanticismo, cómo la compuso:

> «... en una casa frontera al cementerio, y desde la noche siguiente a la fúnebre ceremonia, emprendí la tarea de acabar el malhadado libro. No se interrumpió ya su faena. Acostábame todos los días al oscurecer y me levantaba a la una de la noche. Desde esta hora hasta las ocho de la mañana escribía incesantemente...» [43].

Sobre esta novela, tan traída y llevada en sus días por los que vieron en ella sólo una expresión de las ideas «neocatólicas» de su autor, hoy cabe conocerla en todas sus facetas, gracias a los estudios de J. F. Montesinos [44] y la edición crítica de Clásicos Castellanos, llevada a cabo con excelente Introducción por el profesor Baquero Goyanes. En *El escándalo* se ha pretendido ver una especie de autobiografía novelada de ciertos amores de juventud del autor con una dama casada [45]; también se ha intentado identificar uno de los personajes con el amigo de Alarcón, el poeta Pastor Díaz, y se señalan posibles influencias o puntos de contacto entre la obra de este autor —*De Villahermosa a la China*— con *El escándalo*. La novela va dedicada a su

---

[43] *Obras completas, Historia de mis libros*, págs. 21 y 22.

[44] J. F. Montesinos, «El escándalo» *de Alarcón*. «Ensayos y estudios de literatura española», México, ediciones D. J. Silverman, 1959.

[45] Emilia Pardo Bazán y, recientemente, Pedro A. de Urbina, han querido ver ciertas coincidencias entre la vida de Alarcón y la de su héroe Fabián Conde.

memoria «en testimonio de inextinguible cariño filial, admiración y agradecimiento». Pronto se cumplirá el centenario de su aparición en nuestras letras y es justo que, como documento de una manera ideológica y de una compleja forma novelística, haya alcanzado su lugar entre los clásicos; es importante recordar con Baquero Goyanes que:

> «Comoquiera que sea, Alarcón quedó identificado a partir de *El escándalo,* como un escritor reaccionario y neocatólico, que siempre se creyó hostigado o silenciado por la crítica de signo ideológico contrario. En consecuencia, a partir de entonces, Alarcón estuvo siempre a la defensiva y de sus cautelas y precisiones ideológicas nos ofrecen expresivo testimonio las correcciones introducidas en las ediciones de *El escándalo* posteriores a 1875» [46].

Fue, a pesar de todo, o por ello, la obra preferida de su autor, la que pidió a su familia le leyeran al final de su vida, y se dice exclamó: «A esta obra sólo le falta que yo me muera.»

Dos novelas grandes le quedan a Alarcón por escribir: *El Niño de la Bola,* en 1880, y *La pródiga,* en 1882: entre las dos apareció la que él llama «diminuto libro», la novelilla de *El capitán Veneno.*

Alarcón, exaltado ante los ataques de sus «enemigos» se decide a escribir «otra novela espiritualista y religiosa» que ayude a la comprensión de su tesis de *El escándalo,* y exclama:

> «¡Ya tengo el asunto sin necesidad de inventarlo! Me basta con recordar aquel *drama romántico de chaqueta* que presencié en Andalucía cuando niño...» [47].

---

[46] M. Baquero Goyanes, *ob. cit.,* pág. CXXXII.
[47] *Obras completas, Historia de mis libros,* pág. 24.

Con el título de *El Niño de la Bola* escribió esta «tragedia popular». La crítica, en general, le fue favorable y en algunos casos de autores importantes, entusiasta: así leemos, con cierto asombro, las palabras que le dirigió don Juan Valera:

> «No puedo aguantar hasta el jueves, día en que nos veremos en la Academia, para decirle que he leído con encanto *El Niño de la Bola,* que he llorado a moco tendido y que, a pesar de lo descontentadizo que suelo ser, todo en él me ha encantado... Doy a usted veinte veces la enhorabuena y me la doy a mí mismo. Yo gusto como nadie de que el nivel esté alto... Usted sabe que yo no echo piropos y que soy seco como esparto y frío como hielo; conque calcule lo que *El Niño de la Bola* me habrá entusiasmado, cuando le endilgo esta carta [48].

Otros contemporáneos no fueron tan entusiastas y tacharon la novela, de efectista y seudodramática, pero ninguno tan negativo como «Clarín», tan reticente en cuanto a las ideas sustentadas en *El Niño de la Bola* por el autor, ni tan zahiriente al hablar de los dos protagonistas: de Venegas dice, con su característica ironía y gracejo, que es un «Segismundo con calañés», y de la bella Soledad, la amada y protagonista del drama, que es «el tipo más repugnante de mujer que se ha visto... serpiente mujer, libidinosa y astuta». Todo el tono de su palique es destructivo, pero como su antipatía es tan evidente, al final del mismo recoge velas con la intención de no ser acusado de parcial e injusto, y alaba al novelista [49].

---

[48] *Obras completas.* Transcripción de la carta de don Juan Valera por L. M. Kleiser en *ob. cit.,* págs. XXIV y XXV.

[49] Leopoldo Alas «Clarín», *Palique,* «El Niño de la Bola»:

> «Sería hipócrita pedantón el que negase que, a pesar de todos estos inverosímiles y violentos recursos, la acción de *El Niño de la Bola* interesa y

El apasionado crítico, con su agudeza acostumbrada, dice sobre el lenguaje y estilo de nuestro autor unas verdades que estamos dispuestos a suscribir hoy:

> «... el señor Alarcón escribe con soltura y gracia, dialoga con gran facilidad y sabe dar a cada personaje, cuando no es un sabio, el lenguaje que le corresponde. He concluido. Creo obligación de todo español amante de las letras patrias leer *El Niño de la Bola*, que, a pesar de los defectos apuntados y otros muchos que se quedan en el tintero, es obra que demuestra el vigor del ingenio nacional y contribuye a esta gloriosa y difícil empresa acometida por pocos, pero ilustres autores, de restaurar la novela española por siglos decaída y casi muerta» [50].

Las dos apreciaciones de críticos tan dispares por razones de «escuela» como por gustos estéticos son suficientemente explícitas sobre la acogida dispensada a la novela [51].

A partir de 1878, Alarcón se va a vivir a su casa de campo en Valdemoro (Madrid), donde se dedica a escribir sus últimas novelas y al cultivo de su jardín.

---

a veces conmueve; en aquel mismo epílogo, tan defectuoso por muchos conceptos, hay un temor trágico que los lectores sienten dentro de sí al terminar la obra... Si este don de conmover e interesar tan necesario al novelista, lo posee el señor Alarcón, como prueban todas sus novelas, ¿por qué no aprovecha mejor esta ventaja meditando más despacio sus invenciones, y, sobre todo, despojándolas de esa trascendencia seudofilosófica que compromete hasta la seriedad de su pensamiento?»

[50] Leopoldo Alas «Clarín», *Palique*.
[51] A. Soria Ortega, *Ensayo sobre Pedro Antonio de Alarcón*, BAE (1951-1952). Hace un completísimo análisis de la misma. J. F. Montesinos, *Pedro Antonio de Alarcón...*, sólo de pasada, pues no se ocupa en el suyo de las grandes novelas, dice: «nuestra mejor novela romántica es posiblemente *El Niño de la Bola*», pág. 180.

Es curioso este temprano retiro del «mundo» de un hombre en su plenitud: tenía cuarenta y ocho años —¿desengaños políticos, cansancio de la lucha con «sus enemigos»?—. De todo había. En 1881 escribió *El capitán Veneno,* «estudio del natural», obrita menor, algo ñoña, sobre la conquista que de un maduro militar cascarrabias y solterón hace una joven pura, bella, noble y huérfana. Lo compuso en ocho días y lo dedicó a su amigo el dramaturgo Tamayo y Baus. Su rápido éxito le sorprendió; esperaba el ataque de sus «enemigos» y en sus comentarios deja ver un cierto asombro, como si el silencio fuese el peor vejamen.

Unos meses después, en 1882, publica su última novela, *La pródiga.* Martínez Kleiser nos dice que Menéndez y Pelayo la iba leyendo conforme el autor la escribía y transcribe una carta en la cual da su opinión al autor:

> «He leído los últimos pedazos de *La pródiga* con el mismo deleite y afición que los primeros. Es usted un narrador maravilloso... Yo, al menos, no encuentro que reparar, y eso que, por dar gusto a usted, lo he mirado y recapacitado todo despacio y concienzudamente» [52].

A Alarcón no le valían cartas privadas, ni calurosas palabras de los incondicionales; quería que se ocupasen de él, de su novela, en periódicos y revistas, y dio en creer que existía en torno a su obra una «conjuración del silencio» dirigida contra sus ideas espiritualistas y tendencias moralizadoras. Apareció *La pródiga* primeramente «en trozos» en la *Revista Hispano-Americana,* y muy orgulloso de haberla escrito en veintisiete días se duele otra vez de que los de la oposición no le censurase. Tal fue el efecto que en su alma produjo este desengaño, que se negó a «componer nunca

---

[52] Kleiser, Martínez, *Obras completas, Pedro de Alarcón...,* página XXV.

más novelas». Cuando escribía esto tenía cincuenta y
un años: siete años después moría cumpliendo su palabra. También por carta —¡cuánto sentiría Alarcón
que no fuese en la prensa!— la Pardo Bazán escribió
sus muchos elogios a *La pródiga,* no sin algunos interesantes reparos:

> «Pues mi disgusto es ver que un talento tan sim-
> pático, tan delicado y lozano como el de usted, no
> entre de una vez en la corriente ancha y poderosa
> de la literatura realista. Véngase usted, insigne maes-
> tro, a la escuela naturalista, donde tiene su lugar se-
> ñalado el que con tanto donaire escribe y describe,
> que puede hacer renacer, en forma moderna, nues-
> tro incomparable género picaresco» [53].

Importante cita por el deseo de la novelista introductora del naturalismo de arrastrar y captar a la nueva
manera literaria al compañero que tan lejos estaba por
su conservadurismo y tradicionalismo.

Sobre el estilo de esta su última novela, véase el ensayo del profesor Soria Ortega [54]. Conviene recoger, antes de terminar, las últimas palabras de Alarcón en
Historia de mis libros, escritas tres años después de
la aparición de *La pródiga,* palabras que han dado lugar a que la crítica tome posiciones sobre la posible
significación espiritualista del guadijeño como precursor de semejante corriente finisecular. Dice así:

---

[53] E. Pardo Bazán, Carta citada por Martínez Kleiser en
Obras completas, pág. xxv.
[54] A. Soria Ortega, *Ensayo sobre P. A. de Alarcón y su
estilo,* BAE, 1951, pág. 90:

> «Se nos ofrece Alarcón en esta novela con un
> estilo maduro, sosegado, fácil. Estilo académico —lo
> es desde hace varios años— que tiende a la ex-
> presión correcta, casticista... Creemos que aquí, en
> esta última novela, es donde se puede estudiar al
> accitano como casticista. Para él este concepto equi-
> valía a un estilo digno, a la vez que arcaizante.»

«¡... quién sabe: —ocúrreseme ahora decir para terminar alegremente—. ¡Tal vez entonces estará otra
vez de moda confesar la existencia de un sumo Dios
y la inmortalidad y responsabilidad del alma, y no
hallarán mis libros ni un adversario para un remedio!» [55].

Para Baquero Goyanes, «... en cierto modo, Alarcón
acertó en sus predicciones...» [56], y a lo largo de su crítica de *La pródiga* se inclina a la postura de doña
Emilia Pardo Bazán que en 1882 veía en Alarcón un
precursor del «realismo espiritualista» iniciado «por
influjo de la novela rusa en Francia y en España, volviendo —según ella— nuestra novelística a «situarse
en el terreno que le señalara Alarcón en *El escándalo*
y *El niño de la bola*» [57]. Por su lado, J. F. Montesinos
opina sobre el alcance de las teorías de Alarcón que:

«... en nada de lo que dio como definitivamente
valedero se encuentra pensamiento alguno que jus-
tifique el incluir a su autor entre los teorizantes de
la novela moderna» [58].

Queda un Alarcón, el de los artículos y cuadros de
costumbres que recogió en un libro con el título de
Cosas que fueron en 1871, pero que habían aparecido
en revistas y periódicos y en el cual sólo coleccionó
dieciséis, que no siempre están de acuerdo con la de-
nominación de «costumbristas». En este sentido, señalan Soria Ortega y Baquero Goyanes que quizá sus mejores páginas las encontremos en algunas de sus narraciones o en capítulos de *El Niño de la Bola* y *El
sombrero de tres picos.*

---

[55] *Obras completas, Historia de mis libros*, pág. 28.
[56] M. Baquero Goyanes, *Pedro Antonio de Alarcón. El escándalo*, Introducción, págs. XLV y XLVI.
[57] E. Pardo Bazán, *Obras completas, Nuevo Teatro Crítico*,
1892, núm. 13.
[58] J. F. Montesinos, *Pedro Antonio de Alarcón...*, pág. 32.

41

También incluye en ese libro Alarcón ciertas obritas llamadas «fisiológicas», que, aunque su auge había pasado ya de moda en Francia, procedía de una especie literaria que había cultivado con éxito Balzac; el mejor ejemplo de éstas, de nuestro autor, es *La fea.*

Por quedar fuera del campo de la ficción en prosa, he dejado para el final de este análisis general de su obra su creación poética, que recogió en 1870, en *Poesías serias y humorísticas* [59]. Alarcón nos dice que las recopiló por la presión de sus «nobles amigos don Antonio Cánovas del Castillo, don Juan Valera y don José Luis Albareda» y que el título lo suministró Cánovas, pagó los gastos de impresión Albareda y puso un prólogo, medido en el elogio, don Juan Valera. Hoy, la lectura de esta poesía nos resulta tediosa, falta de inspiración y gracia, prosaica. Se advierte en ellas el recuerdo de Campoamor. Su obra poética no añade nada al mérito ni a la fama de este importante escritor, que fue el más admirado de su tiempo y también el más combatido.

Alarcón, cuentista

El primer Alarcón fue autor de numerosos cuentos, historietas y narraciones que, andando los años, coleccionó en tres libros; a nuestro entender, por su variado contenido, gracia y vivacidad encierran lo más valioso —salvo *El sombrero de tres picos*—, que salió de su pluma. En 1881 publica los *Cuentos amatorios,* dedicados a su amigo don Mariano Catalina, que luego sería uno de sus más apasionados biógrafos; en el

---

[59] *Obras completas, Poesías serias y humorísticas,* prólogo de don Juan Valera, págs. 276-277.

mismo año publicó *Historietas nacionales,* quizá las
más conocidas hoy, dedicadas a su compañero en las
letras y en la Academia don Juan Valera, y en 1882
apareció el tomo de *Narraciones inverosímiles,* dedicadas a Dióscoro Puebla, «querido artista» y «noble
pintor».

La valiosa obra del crítico J. F. Montesinos, *Pedro
Antonio de Alarcón,* versa sobre esta temprana producción del guadijeño. En la nota preliminar dice:

> «... muchas de las páginas que aquí se reseñan,
> que, sin duda, no entrarán nunca en la literatura
> universal —otras podrían entrar con pleno derecho—
> conservan, a veces, un perfume de época que no se
> escapará a los que tengan aún sentido histórico» [60].

J. F. Montesinos demuestra convincente y repetida-
mente que no siempre la última versión de uno de estos cuentos es la mejor; que Alarcón tenía el pecado
de reescribirse, lo que no quiere decir mejorarse, y que
el autor que bebió del romanticismo sufrió «el morbo
romántico», del cual quiso deshacerse sin gran éxito
en sus novelas largas. Esta generación de «encrucijada», que debía de haber roto con todo lo que hay de
convencional en el romanticismo, sin embargo, no pudo. Y así, permanece en la obra de Alarcón esta pers-
pectiva romántica, junto a influencias de corrientes literarias que llegan trasnochadas de Francia, como la
moda Karr, más muchos elementos de carácter costumbrista. Veamos lo que el propio Alarcón nos dice de
su formación y génesis.

Empieza por nombrar *Novelas cortas* a todas ellas
y a continuación dice que el primer tomo se llama
Cuentos amatorios, el segundo, *Historietas nacionales,*
y el tercero, *Narraciones inverosímiles,* con lo cual ya

---

[60] J. F. Montesinos, *Pedro Antonio de Alarcón...* Nota preliminar (no paginada).

43

tenemos aquí una confusión evidente que determina una arbitraria y heterogénea agrupación [61].

> «... tendré que hablar indistinta o simultáneamente de los tres volúmenes, a fin de subordinar a una clasificación más crítica y didáctica que la fundada en el asunto, las treinta y ocho obrillas de que se compone la colección entera» [62].

Sabemos que las «obrillas» primeras salieron a luz en *El eco de Occidente,* es decir, todas las que en las *Obras Completas* aparecen fechadas entre 1852 y 1854, año éste de gran fecundidad del joven escritor. Sobre su ordenación dice que, en sus *Novelas cortas* hay que notar *«tres maneras,* distintas en la forma y en el fondo»; la *primera* es la de Guadix, «la natural» o «primitiva», influida por Walter Scott, Alejandro Dumas y Víctor Hugo, y también por Balzac y Jorge Sand. La *segunda* manera corresponde al tiempo de su llegada a Madrid y a su amistad con A. Bonnat, que le puso en contacto con la obra del autor francés Alphonse Karr y cuya consecuencia fueron «diez o doce novelillas estrafalarias o bufonas», a las que él llama «la manera... más transitoria»; y, por último, la *tercera* manera «más española, ingenua y grave» que recordaba a la primera de Guadix y dejaba ver la influencia de nuevos autores:

> «nuevos ídolos, o ya verdaderos dioses literarios, Cervantes, Goethe, Manzoni, Quevedo, los propios Walter Scott y Balzac (éste mejor aprendido), Golmits [*sic*], Dickens y demás novelistas que armonizan la realidad y el espiritualismo y, sobre todo, revelaban mi culto al más prodigioso explorador del alma humana: a Shakespeare» [63].

---

[61] Sobre una posible línea divisoria entre el cuento y la novela corta, véase M. Baquero Goyanes, «El cuento español en el siglo XIX», *R. F. H.,* Madrid, 1949.

[62] *Obras completas, Historia de mis libros,* pág. 7.

[63] *Obras completas, Historia de mis libros,* pág. 8.

44

Se observa una mezcla notable de nombres de autores que muestran a las claras la falta de dirección que el joven Alarcón sufrió. Otro de sus «ídolos» o «dioses» fue Lord Byron, que se conocía en esa época, traducido del francés y en prosa, y que causó en él «invencible ascendiente» con su «sublime, pero enervante poesía» [61]. A pesar de que años después, movido por nuevas inclinaciones, pudiera tomar una actitud algo desdeñosa con el poeta inglés, nuestros autor, cuando va a Italia en 1860 y visita Venecia, evoca la obra de Byron, haciendo un curioso paralelo entre lo que fue Zorrilla para Granada y Byron para Venecia.

Del primer tomo de cuentos, es decir, la primera serie de *Novelas cortas,* titulada *Cuentos amatorios,* Alarcón dice:

> «*Cuentos amatorios* se titula esta serie de novelillas y *amatoria* es, efectivamente, hasta rayar en *alegre* y aun en *picante,* la forma exterior o vestidura de casi todas ellas. Pero, en buena hora lo digo, ni por la forma, ni por la esencia, son *amatorios* al modo de ciertos libros de la literatura francesa contemporánea, en que el amor sensual se sobrepone a toda ley divina y humana... Mis cuentos son *amatorios* a la antigua española, a la buena de Dios, por humorada y capricho... sin odio ni ataque deliberado a los buenos principios, ni aflicción ni bochorno del género humano... todo ello teñido de un *verdor* primaveral y gozoso, que más inducía a risa que a pecado» [65].

La obsesión alarconiana con «el pecado», que para él es siempre uno y el mismo, le hace exclamar lleno de orgullo en la dedicatoria de estos cuentos:

---

[64] *Obras completas, Historia de mis libros,* pág. 8.
[65] *Obras completas, Novelas cortas, Cuentos amatorios,* páginas 29-30.

«Por lo que respecta al fondo, creo haber sido más consecuente con la moral que ningún narrador de historias de este linaje» [66].

La dedicatoria está fechada en 1881, año en que recogió en este primer tomo obras que habían aparecido en la revista *El eco de Occidente,* como dijimos, cuando el autor apenas tenía veinte años. Pero esta obsesión por aparecer a los ojos de todos como el más moralista de los escritores, incluso en sus años mozos, así como su discurso de entrada en la Academia Española sobre *La moral en el arte,* nos hace ver que la idea de ejemplaridad, entendida al modo alarconiano, es una constante del autor [67].

Los *Cuentos amatorios* forman la colección más breve de las tres que componen su serie de *Novelas cortas.* El librito consta de diez cuentos o novelitas y una especie de introducción brevísima e insulsa, que titula *Sinfonía* y subtitula *Conjugación del verbo amar.* Se abre con el cuento más alabado de todos los suyos, *La Comendadora,* con el que también empezamos esta selección, dejando su análisis para más adelante.

La segunda serie la forman las *Historietas nacionales* y es el tomo más largo de los tres: consta de diecinueve composiciones entre relatos, historietas y novelas cortas. En la dedicatoria dice:

---

[66] *Obras completas, Novelas cortas, Cuentos amatorios,* página 30.

[67] J. F. Montesinos, *Pedro Antonio de Alarcón...,* pág. 34:

«Alarcón se encalabrina, sobre todo, allí donde descubre motivos lúbricos. Para decirlo de una vez, Alarcón es sobre manera cosquilloso con respecto a cuanto roza la ética sexual, y muy de su país y de su tiempo en esta actitud suya, parece creer que los diez mandamientos se reducen a uno, o que los otros nueve fueron promulgados para envolver pudorosamente el único que contaba.»

«Las escribí, como usted sabe [don Juan Valera], entre los veinte y los veinticinco años de edad, y, ya que no otro mérito tienen el de haber sido las primeras en su índole y forma publicadas en España» [68].

A esta afirmación sobre su prioridad en el género, contesta J. F. Montesinos que cuando Alarcón escribió estas «historietas» ya se leían en el *Semanario pintoresco* y otras revistas de la época, relatos semejantes y, sobre todo, doña Cecilia —la Fernán Caballero— desde 1849 había compuesto narraciones semejantes en espíritu y forma.

Las *Historietas nacionales* tienen, en su mayoría, como tema la Guerra de la Independencia y otras, poco o nada tienen que ver con ella. La serie tiene una factura más realista, próxima a los temas de la guerra, que tan honda huella dejó en el pueblo español y que tan viva estaba en la Andalucía de la infancia y adolescencia de Alarcón; todo lo que oyó a su alrededor, todas las anécdotas recogidas por él, tienen un sabor de autenticidad que las diferencia de las otras series. Alarcón, patriota y aficionado a lo pasado, oiría mil veces en su casa paterna relatar sucesos y crímenes de aquella guerra en que sus abuelos habían participado. Pero lo que más importa en estas historietas es su técnica, su habilidad narrativa, la presencia del diálogo en su debido lugar, la pintura de tipos.

Alarcón, en la *Historia de mis libros,* exclama al hablar de esta serie: «la patria y la gloria les sirven de exclusivo argumento».

La tercera serie de *Novelas cortas* la forman ocho cuentos de muy diversa extensión y carácter, cuyo título, *Narraciones inverosímiles,* como dice J. F. Montesinos quizá signifique solamente que estos cuentos, o novelitas, «son de pura invención» frente a los de

---

[68] *Obras completas, Historietas nacionales,* pág. 105.

los otros dos tomos que pretenden ser o son inspirados por un suceso verdadero. La colección como «muestrario de estilos» empieza con *El amigo de la muerte* (1852 y 1858), el más largo de sus cuentos, en esa línea difícil que va del cuento a la novela corta, aquí incluido, y lleva como subtítulo, «Cuento fantástico». Alarcón dice de las *Narraciones* que son,

> «fantásticas unas, románticas otras y humorísticas las demás; escritas casi todas en mi niñez o en mi primera juventud, pertenecientes varias de ellas a una moda o gusto literario hoy abolido, pero que entonces hacía relamerse a los admiradores de Alfonso Karr...»[69].

Al cuento citado sigue un «cuento de miedo», *La mujer alta,* que también analizamos, por aparecer en esta selección.

Sus cuentos y novelas cortas ponen de manifiesto la variedad de su inspiración de artista y de creador, la maestría con que supo dibujar tipos y ambientes. Sobre su creación cuentística dice Baquero Goyanes:

> «Son los de Alarcón cuentos de pergeño muy tradicional, muy auténticos —en los mejores casos— como tales cuentos. Por eso no pocos de ellos pasan por ejemplos clásicos del género. El adecuado equilibrio que Alarcón es capaz de conseguir entre los distintos ingredientes del cuento —narración, diálogo, descripciones, caracterización de los personajes, etcétera—, sobresaliendo por encima de todos el argumento o trama, trae como consecuencia un prodigioso avance en la fijación del cuento literario español»[70].

[69] *Obras completas, Narraciones inverosímiles.* Dedicatoria, página 191.
[70] M. Baquero Goyanes, *Introducción a Pedro Antonio de Alarcón. El escándalo,* Madrid, Espasa-Calpe, 1973, pág. LXXX.

Para terminar, vamos a recoger las palabras finales en su estudio sobre Alarcón de doña Emilia Pardo Bazán:

«Entiendo que algunos de sus *Cuentos* y de sus *Viajes* no tienen par en nuestras letras. Creo que de sus *Novelas* —sin que lleguen a tanta altura— no puede prescindir la historia del renacimiento glorioso de este género en la segunda mitad de nuestro siglo. Añado que Alarcón vivirá más por la *forma* que por el *fondo,* y que su mejor título a la inmortalidad es haber crecido en maestría literaria al par que ahondaba en la genialidad nacional: ser más español cuanto más artista» [71].

---

[71] E. Pardo Bazán, *Obras completas,* t. III, *Crítica literaria,* pág. 1409.

*Análisis
de los cinco cuentos
de esta selección*

La Comendadora [72]

Este cuento pertenece, como «El clavo», a la serie primera de novelas cortas titulada *Cuentos amatorios;* es el primero de los diez que la forman y lleva el sugestivo subtítulo de «Historia de una mujer que no tuvo amores».

J. F. Montesinos [73] nos suministra una completa nota bibliográfica: aparece primero en una revista de 1868 con «un curiosísimo prólogo» que el autor quita de la edicin de 1875 y de las *Obras completas.* Sin embargo, el crítico nos tranquiliza: «todo ha sido reescrito sin que nada esencial se altere». Veamos qué nos dice el autor de su propia obra:

> «*La Comendadora* es totalmente histórica. Sólo he cambiado nombres y fechas y algún que otro pormenor inenarrable del empeño del niño... El caso ocurrió efectivamente en Granada» [74].

Hay que poner en cuarentena, como se ha dicho, la afición de Alarcón a dar carácter «histórico» o real

---

[72] Nota ed.: Las Comendadoras de Santiago son una orden fundada en el siglo XII en tiempos de Sancho II de Castilla, y sus monjas solían proceder de familias nobles. Tienen un convento famoso, por sus confituras y almíbares, en Granada.

[73] J. F. Montesinos, *Pedro Antonio de Alarcón...* «Salió a luz primeramente en el *Museo Universal* en abril de 1868, muy poco antes de que la Revolución de septiembre viniera a defraudarlo...», pág. 113.

[74] *Obras completas, Historia de mis libros,* pág. 3.

a sus cuentos y puede ser que esté basado en alguna anécdota oída o leída, aunque lo que no deja lugar a duda es que el cuento tiene un cierto aire axfisiante, opresivo, muy granadino, incluso en lo que no se cuenta, pero se deja entender.

Doña Emilia Pardo Bazán, en su estudio sobre Alarcón, piensa que este cuento coincide con uno de E. Goncourt y pudieron ambos tener una fuente común o, incluso, servir el español de fuente al francés:

> «Mucho siento en esta ocasión no haber preguntado a Edmundo de Goncourt por qué caminos llegó a su conocimiento la historia de la Comendadora para que la refiriese en uno de sus libros, sin omitir el pormenor inenarrable» [75].

A esta apreciación va unido el elogio de la historia considerándola «la mejor del tomo, impregnada de una melancolía interior que se pega al alma» [76].

La obrita, casi quince años posterior a «El clavo», está escrita en la madurez del autor.

El cuento es breve y está dividido en seis partes; las tres primeras, más largas, podíamos llamarlas capítulos; las tres últimas, sólo constan de unos párrafos brevísimos. Gira el relato alrededor de tres personajes: la condesa de Santos, su hija Isabel, Comendadora de Santiago y su nieto don Carlos.

El capítulo primero nos da el ambiente, los trajes y el lugar en que aparecen los tres personajes; el segundo cuenta la historia de la noble familia y el porqué de ser monja Comendadora su hija, así como el motivo por el que ha vuelto a la casa materna y algo sobre su carácter; el tercero empieza con la muy alarconiana frase: «Volvamos ahora a contemplar a nuestros tres personajes, ya que los conocemos interior y

---

[75] E. Pardo Bazán, *Obras completas*, t. III, pág. 1382.
[76] *Ibíd.*

exteriormente.» Equivalente, como recordaremos, a aquella presentación del tío Lucas y la señá Frasquita vistos «por fuera y por dentro» en *El sombrero de tres picos*.

La acción empieza en la tercera parte en que tiene lugar la terrible anécdota que va a ser la razón del cuento; las tres últimas y brevísimas partes, especie de epílogo, forman el desenlace. Parece que el ángulo superior de una pirámide lo ocupa el capricho lúbrico del niño y que los dos primeros capítulos son un lento proceso hasta llegar a él: el descenso, en cambio, es rapidísimo.

El cuento ocurre en Granada [77], lugar preciso, conocido y amado del autor, que, sin embargo, sólo aparece incidentalmente en otros cuentos. En la ciudad ha ido a escoger una de las casas señoriales del siglo XVI o del XVII, frente a la Alhambra, en la famosa Carrera del Darro, acera que corre junto al río y pone en comunicación el barrio popular y gitano del Albaicín y Sacro Monte, con la ciudad propiamente dicha, que se inicia en la Plaza Nueva y está presidida por su espléndida Audiencia barroca.

Todo el cuento transcurre en un «vasto y señorial aposento» con unos balcones que miran al río y a la bella colina de la Alhambra. Los personajes están emplazados con deliberada precisión. La condesa está sentada junto a uno de los balcones y reza; el niño se revuelca en la alfombra y la Comendadora observa y medita desde «un ángulo del salón». Escenario austero y noble en donde va a ser representado el drama a partir del capítulo tercero. El mobiliario ayuda a crear este ambiente señorial con «ascéticas pinturas» en las paredes, «antiguos muebles», «alfombra» y «sitial». Sin embargo, no encuentro ningún detalle local en este escenario, ni cobres, ni alfombras alpujarreñas, ni

---

[77] A. Soria Ortega, *Ensayo sobre Pedro Antonio...*, pág. 529.

alcarrazas con flores: todo parece de interior velazqueño, sobrio y austero. A este lugar interior corresponde otro, exterior: la Alhambra, en su verde y rosada colina sobre cielo azul, y en los balcones la presencia *enjaulada* «de algunos canarios y ruiseñores»,
así como «macetas de alelíes, mahonesas y jacintos».
Los trajes de las dos damas están en consonancia con
el aposento: todo es blanco y negro en el vestir medio seglar de la Comendadora, descrito con morosi-
dad pictórica, y en el de la vieja condesa, toda vestida de «alepín negro» con «toquilla de amarillentos encajes flamencos». Con ello se da una nota más de la
corte de los Austrias que subraya con la frase de Alarcón al describir el físico del niño, «endeble, pálido,
rubio y enfermizo como los hijos de Felipe IV».
Y, sin embargo, el cuento está situado en el siglo XVIII,
del cual sólo veo un detalle: la vestimenta del niño,
por el color azul del raso del calzón y la chupa «muy
bordada de otros colores». Con ello se manifiesta un
evidente anacronismo entre la ambientación, a mi ver
muy siglo XVII y la fecha del hecho novelado por el
autor, en 1768.

La condesa está pintada con rapidez y pinceladas
fuertes y expresivas: su «noble y enérgico» rostro que
«reflejaba la más austera virtud y un orgullo desmesurado»... «Seguramente que su boca no había sonreído nunca y los duros pliegues de sus labios provenían del hábito de mandar»; sus ojos «parecían armados del rayo de la Excomunión» y al mirarla se
sentía que «no había más arbitrio que matarla u obedecerla». Impresionante descripción y análisis del carácter de la condesa que inmediatamente nos hace
pensar en doña Perfecta o en Bernarda Alba.

Frente a ella, la Comendadora es una figura pa-
siva, apenas se mueve de su «ángulo» oscuro, para
llevarse las manos a la cara, rezar o levantarse con
intención de salir del salón. Cuando quiere huir,

ni siquiera tiene fuerzas para ello, tan doblega-
da y sumisa está su voluntad, por años de vida con-
ventual. Por fuera, aparece «hermosísima, alta, recia,
esbelta y armónica» como una «cariátide»; esta mujer, de unos treinta años, de manos monjiles y escul-
tóricas —«de blancura mate»—, sobre su basquiña
negra, parece una de esas santas andaluzas de óvalo
moreno, de «ojeras hondas, lívidas, llenas de misteriosas tristezas», acompañadas de «luengas» pestañas,
«espesas cejas», «artística nariz y una boca divina,
cariñosa, incitante». Todos estos adjetivos que nos la
pintan en su exterior van acompañados de un sentimiento de orgullo y de casta, que ni el convento ni
su confesor pudieron vencer: se manifestaba en el
convento «como altiva rica hembra infatuada de su
estirpe y una virgen del Señor, devota, mística fervorosa hasta el éxtasis y el delirio» [78]. Mujer marchita
en plenitud, «que no tuvo amores», languidece en un
rincón de esa sala que preside el niño.

El personaje con valor protagonístico es el nieto de
la condesa, un inquietante y monstruoso niño literario, que recuerda al *Prometeo* de Pérez de Ayala.
Más fuerte que la voluntad de su abuela, es representante de un destino aciago y símbolo de una aristocracia podrida y decadente. Simbólicamente, destro-
za, deshoja y hace pedazos «un hermoso libro de heráldica», y viene a ser su verdugo, y a hacerla sufrir
en su orgullo aristocrático la mayor vejación, el más
grave atropello. El niño don Carlos es criatura de
precoz lascivia. En el capítulo II se lanza en escala
ascendente; ésta va de la curiosidad malsana, expre-
sada en la frase: «¡Quiero ver desnuda a mi tía!»,
que parece un capricho más de su insoportable dicta-
dura, al ataque de furia e histeria que hace que la
frase se vaya entrecortando hasta repetir dos veces
más: «desnuda a mi tía». «Echando espumarajos por

---

[78] *Obras completas, La Comendadora*, pág. 32.

la boca y tartamudeando ferozmente» y revolcándose como una serpiente venenosa, triunfa sobre el orgullo de aquellas aristócratas horrorizadas ante la «enormidad de la situación». No hace falta el «inenarrable» desenlace que la Pardo Bazán dice encontró en Goncourt; el autor hábilmente, con elegancia, lo deja imaginar con mayor eficacia que pueda tener el pormenor naturalista. Sin embargo, observamos un cierto gusto del autor en la narración del suceso, que nos hace coincidir, una vez más, con J. F. Montesinos cuando afirma que «Alarcón se encalabrina, sobre todo, allí donde descubre motivos lúbricos» [79].

El niño, a la media hora, va al cuarto de la abuela (capítulo IV) «hipando, riendo, y comiéndose un dulce», con lo cual carga la mano en la sensualidad del niño y marca con cierto deleite la anormalidad de este pequeño degenerado. Al final, se dice que el niño murió joven en la conquista de Menorca, «extinguiéndose con él la noble estirpe de los condes de Santos». Con amarga ironía sobre el agotamiento de una casa que lleva como título el nombre de «Santos», termina el cuento.

La luz y las formas juegan un importante papel en la obrita. El sol entra por uno de los balcones formando unos «cuadrilongos de luz en el suelo»; rectangular es, a su vez, el marco del balcón y el sol cae sobre la alfombra (también cuadrilonga) en que juega el niño. Habitación, balcón, alfombra, rectángulos de luz más los «cuadros» de las paredes concuerdas con unas mentalidades también cuadriculadas; todo ello forma el *marco* perfecto del cuento.

El color —ya hemos visto los blancos y los negros de los trajes de la hija y la madre— está salpicado por unas pinceladas de color, las de la chupa del niño, más los colores de las flores de las macetas, malvas, moradas y blancas, anunciadoras de una temprana primave-

---

[79] J. F. Montesinos, *Pedro Antonio de Alarcón,* pág. 36.

ra granadina, que con la Colina verde y el cielo azul en que se recortan las murallas rosadas de la Alhambra, parecen subrayar y acentuar el contraste entre el interior y el exterior.

De la luz, entre naciente y mediodía que domina a la Carrera del Darro, pasamos en unas seis horas a la penumbra, de un angustioso atardecer granadino lleno de sombras y murmullos que también recoge Alarcón en su cuento: dentro de la sala se oyen tres sonidos: «el compasado golpe de una péndola», la «charla incoherente» del niño y el rajar de las hojas del libro de heráldica. Frente a éstos, en el exterior, todos son ruidos de vida: el piar de los pajarillos enjaulados con «los que andan libres y dichosos alrededor de la Alhambra», los «pasos de gentes que iban y venían», «alguna copla de fandango» y el tañer de «unas campanas que lo mismo podían estar tocando a fiesta que a entierro» y unido a estas melancólicas campanas granadinas, otra nota más granadina aún: «Percibíase además en filosófico concierto los perpetuos arrullos del agua del río», ese agua que habla por toda Granada, a quienes quieran escucharla, como cantó Juan Ramón Jiménez.

En el lenguaje no hay granadinismos, todo está escrito en terso y sobrio castellano. El primer capítulo, descriptivo de la casa y sus habitantes; el segundo, narrativo, sobre el abolengo de la casa de Santos; en el tercero, con la narración, aparece por vez primera, y justo en el momento en que los personajes empiezan a moverse en su escenario, el diálogo. Terrible fuerza de la palabra hablada por el niño y contestada con exclamaciones de horror por la abuela; sólo en dos momentos habla la Comendadora: cuando reconviene al niño Carlos para que obedezca a la abuela, y cuando «balbuceó mirando de hito en hito a su madre: ¡Satanás!» Los tres brevísimos trozos finales son narrativos, con una breve carta que sor Isabel, la Comendadora, escribe a su madre, despidiéndose de ella. En el colofón (parte VI) se comunica la muerte de los tres personajes, broche que el lector acepta como descanso final de estas tres vidas frustradas, sin sentido. Con razón dice J. F. Montesinos:

> «No sólo está pefectamente visto, sentido y expresado aquel caso siniestro de degeneración aristocrática..., sino que la sugestión del ambiente, las parcas notas descriptivas... son logros perfectos, no muy abundantes, por desgracia, en la obra de nuestro autor, quien, cuando acierta así, se destaca como un creador excepcional en su época y en su generación»[80].

El cuento es, sin duda, uno de los mejores de la literatura española.

---

[80] J. F. Montesinos, *Pedro Antonio de Alarcón...*, pág. 114.

El clavo

En la primera serie —*Cuentos amatorios*—, tal como aparece en las *Obras completas, El clavo* ocupa el cuarto lugar de las composiciones que en ella figuran, pero está escrito, según el autor, en 1853; José F. Montesinos encontró la segunda edición, la granadina, de 1854. Se trata de uno de los cuentos más discutidos y famosos de nuestro autor, cuyo origen francés ha comprobado el crítico Jorge Campos [81], confirmando así la sospecha de la condesa de Pardo Bazán [82]. En cuanto al propio Alarcón, nos dice:

> «*El clavo* es, por lo tocante al fondo del asunto, una verdadera *causa célebre*, que me refirió cierto magistrado granadino cuando yo era muy muchacho» [83].

---

[81] Agradezco el dato a la gentileza de Jorge Campos que ha encontrado el cuento de Hippolyte Lucas, *Le clou. Histoire fantastique*, publicado en el «Almanach Prophétique», París, 1843. Me dice: «La visita al cementerio, la calavera y el clavo están inspirados en H. Lucas. Toda la forma novelesca es de Alarcón.»

[82] E. Pardo Bazán, *Obras completas*, t. III, pág. 1382. «Y más siento aún no recordar, en qué *Museo* o *Seminario*, vi hace bastantes años una redacción de «El clavo», traducida del original francés, de Hipólito Lucas (si la memoria no me vende por completo, lo cual no me extrañaría); [pero] una causa célebre es del dominio general.»

[83] *Obras completas, Historia de mis libros*, pág. 10.

Se trata de un cuento amoroso-policíaco dividido en XVIII capítulos de desigual extensión más uno último, brevísimo, con el subtítulo de «Moraleja»; todo va precedido de una sola línea introductora.

El cuento se construye sobre una firme armazón. Los viajes, tema muy del gusto de la época, y de vieja tradición literaria, se prestaban a todo tipo de peripecias y daban lugar a encuentros con gentes muy diversas; son frecuentes en los cuentos y novelas alarconianos y en muchos casos están basados en experiencias personales. Este cuento o novela corta, pues por la extensión podría serlo, empieza con un viaje. El narrador va en diligencia de Granada a Málaga. En el capítulo IV (*Otro viaje*) el narrador «sobre un mal rocín» va al pueblo de su amigo J. Zarco, donde permanece tres meses, al cabo de los cuales, nos dice, «abandoné» la villa (capítulo IX, «El hombre propone...») sin decir en dirección a dónde, pero vuelve a esta villa «pocos días después» llamado por «más asuntos al lado de Joaquín Zarco» (capítulo XII, «Travesuras del destino»). Aquí terminan los viajes de Felipe, el narrador, que se pueden representar gráficamente con una zeta, letra cuyo movimiento va a ser operante en todo el cuento. Pero sigamos con los viajes; *ella,* también viaja y lo hace con mayor frecuencia, como en constante huida; primero la vemos en la diligencia de Granada a Málaga; de aquí *dice* que fue a Sevilla (capítulo V, «Memorias de un juez de primera instancia»), de allí a Madrid (capítulo XII, «Travesuras del destino») y de la corte a la villa X, en donde está el narrador y el juez J. Zarco. El capítulo XVII se titula «El último viaje», con evidente y dramático doble sentido: en él *ella* hace... el viaje definitivo. Tremendo zigzag de una vida azarosa que va a parar en la muerte:

62

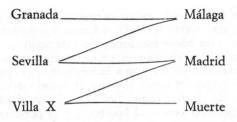

Granada _____ Málaga

Sevilla _____ Madrid

Villa X _____ Muerte

Vida en picado que lleva sin remedio a ese viaje final sin vuelta, que da al cuento todo su sentido trágico.

Los personajes importantes del cuento son tres: Felipe, el narrador, *Ella* y el juez Zarco. Triángulo amoroso que no tendría nada de original si no fuera por una peculiaridad: *Ella* encarna tres mujeres en una: Blanca, la amada de Zarco; Gabriela, la buscada por la justicia, y Mercedes, la dama de la diligencia con quien se encuentra de nuevo Felipe, en Granada. Es decir, *ella* se proyecta, se abre como en abanico, en tres expresiones femeninas: la mujer enamorada, la mujer pasional y la mujer coqueta. Por supuesto que la ficción de todos los tiempos ha sido aficionada a estos desdoblamientos de mujeres que no son quienes parecen ser, pero aquí se trata de una proyección triple, cosa que me parece muy digna de ser subrayada. Blanca y Mercedes vienen a desaparecer en Gabriela, la perseguida, que va a ser la que prevalezca, en otros términos; la enamorada y la coqueta se resuelven en la pasional.

Felipe, el narrador, es el personaje más desdibujado del cuento. Está pintado como joven enamoradizo, parlanchín y buen amigo, personaje que, a pesar de estar presente en todo el relato —salvo en la parte quinta formada por la narración de los amores de Zarco— no llega a más profundidad; se limita a servir de instrumento en la mecánica del cuento.

Joaquín Zarco, pundonoroso juez, melancólico, solitario y desesperado es un personaje marcado por el destino, con todas las características románticas. Sin embargo, este héroe romántico deja de serlo, y no del todo, en cuanto el amor se encuentra cara a cara con la justicia, que en este caso la representa él, pero, al mismo tiempo, es como si fuera el brazo ejecutor de una justicia divina; como dice Alarcón en el cuento: «El magistrado venció al hombre», y el personaje cobra un carácter moralista que mitiga, de cierto modo, su tonalidad romántica.

Ella, por fin, la misteriosa mujer de ojos negros, bella, elegante, apasionada, huidiza, que encubre una pasión desenfrenada que la lleva al crimen y éste a la muerte, encarna, sin tacha alguna, la heroína romántica.

Queda un personaje secundario: el sepulturero, que tiene importancia, a pesar de aparecer solamente en los capítulos VII («Primeras diligencias») y en el XV («El juicio»); es de vieja raigambre literaria y romántica. Personaje en quien Alarcón presenta un tipo del pueblo que cumple su fúnebre menester con naturalidad y sin remilgos. El diálogo entre el juez y el sepulturero, forma la estampa más macabra del cuento, que se completa con el capítulo de «El juicio». El sepulturero, con los criados y vecinos, forman el coro: informan sobre la procesada y no dictaminan ni a favor ni en contra.

Los lugares del cuento quedan siempre fijados por los viajes del narrador, Felipe, menos en el capítulo V en que Zarco cuenta sus amores en Sevilla con Blanca; es decir, Sevilla queda aludida, pero los lugares vividos del cuento son cuatro, aunque algunos se repitan: Granada —salida de la diligencia—, Colmenar (almuerzo), Málaga —destino del primer viaje—, Villa de Córdoba —donde está Zarco de juez con la visita al cementerio—, quizá vuelta a Granada y de allí a la Villa cordobesa del amigo Zarco. Todos los lugares son andaluces y conocidos.

El tiempo está medido de manera desigual pero eficaz: el cuento empieza diciéndonos la hora exacta de la salida de la diligencia de Granada a Málaga: «a las once menos cinco minutos de una noche del otoño de 1841»; no se puede precisar más. La noche es tormentosa y parece ya presagiar grandes males. Amanece un hermoso día y almuerzan, es decir, desayunan —según se decía en Andalucía— en Colmenar. Hasta aquí el viaje a Málaga, de cuya llegada no se dice nada. El capítulo IV empieza: «A las dos de la tarde del 1.º de noviembre de aquel mismo año», hora y día en que llega el narrador a la Villa de su amigo Zarco. Allí, Felipe y Zarco, «una hora después iban al cementerio», pero el relato que cuenta Zarco transcurre en lo que tardaron en andar del pueblo al cementerio (capítulo VI): «Pocos segundos después de terminar mi amigo Zarco la relación de sus amores, llegamos al cementerio», donde encuentran el misterioso «clavo». Zarco «inmediatamente hizo buscar a un escribano», a lo que siguen indagaciones y declaraciones que duran, según se dice en el capítulo IX, «tres meses». Felipe, el narrador, dice en la primera frase del capítulo X: «Aquel invierno lo pasé en Granada»; en esa ciudad, una noche, va a un baile donde encuentra a la misteriosa *ella* que un amigo le dice se llama Mercedes de Meridanueva; Felipe, «al día siguiente», fue a visitarla. «Pocos días después» comienza su viaje de vuelta al pueblo de Zarco (capítulo XII). Allí, mientras el amigo le cuenta lo que cree va a ser el final feliz de su historia, llaman a la puerta: «eran las dos de la madrugada», y «a eso de las cuatro de la mañana» entró en la cárcel con el juez Zarco y se encontraron cara a cara con *ella*. En «La sentencia» (capítulo XVI), dice que la lucha que mantuvo consigo mismo Zarco, «duró hasta el día en que volvió a fallar la causa»; no se dice cuántos días transcurren. Termina esta parte diciendo: «Veinte días después, la Audiencia del Territorio confirmó la sentencia de muerte. Gabriela fue puesta en capilla.» La última parte anuncia que la ejecución tiene lugar en una mañana. Es curioso que el tiempo marcado en el cuento vaya de acuerdo con el ritmo de tensión. Es decir, en los tres primeros capítulos que forman la Introducción al cuento de *El clavo,* el ritmo y el tiempo son más acompasados y lentos. Cuando aparece el drama (en el capítulo VI) todo se precipita, el ritmo se acelera, el juez llama «inmediatamente» al sepulturero, pero los datos de las horas y los días son más escasos.

El color o la falta de él es importante en la obra de Alarcón: recordemos el colorismo de *El sombrero de tres picos, El Niño de la Bola,* etc. Aquí domina una tonalidad muy española, de pardos y negros sin ninguna nota brillante; todo ello tiene una calidad de grabado de época.

En los tres nombres de *ella* vemos una curiosa escala de connotaciones: Blanca, que aparece sin apellido, es la que Zarco ama y cree buena y pura; Mercedes de Méridanueva es la dama elegante que se dice «americana» y cuyo apellido conlleva resonancias aristocráticas y del Nuevo Mundo; luce en los salones granadinos y distingue con su afabilidad a su compañero de viaje, Felipe. Gabriela Zahara del Valle es la trágica figura que confiesa su propio crimen. Su apellido sonoro y amoriscado nos impresiona con esa Z, que parece la acerca más a su amante el juez Zarco. El apellido de éste y su nombre propio son duros y ásperos como su carácter y menester. En cambio, el narrador, el amigo, es un personaje sin apellido, un Felipe a secas.

Queda, probablemente, el principal personaje, el *Deus ex machina* del cuento: el *clavo.* Objeto que se eleva casi a protagonista y actúa de «resorte evocador». El crítico M. Baquero Goyanes, dice:

> «Jamás un objeto tan pequeño ha sido capaz de sugerir tanta emoción como en este cuento alarconiano, cuyo interés dramático le hace precursor con *El doble crimen de la calle Morgue*, de Poe, de género tan actual como es la novela policíaca» [84].

Este *clavo,* sobre el que gira todo el cuento, no aparece en la narración hasta el capítulo VI y vemos que el drama y el misterio se van poco a poco enroscando en él: en el capítulo VII el juez exclama: «tenemos el *clavo…* Ahora sólo me falta encontrar el *martillo*». A la búsqueda de este martillo, o de la mano criminal, se dedica el narrador en el capítulo VIII. Los capítulos X, XI, XII forman un paréntesis; son un medido compás de espera con la intención de mantener el «suspense»; éste no se aclara hasta el capítulo XIII, en que se descubre ante el tribunal «el *clavo* de hierro que en la boca de la calavera parece una lengua acusadora». Estampa de un grafismo espeluznante con la que se diría que hemos llegado a toda la verdad del crimen; falta el careo de la procesada frente al cráneo en el capítulo XV: «lo primero que vio fue la cabeza del *clavo,* destacándose sobre el marfil de la calavera», a lo que sigue el grito y la confesión: ahí está el martillo.

Alarcón adopta diversas maneras literarias; en los dos primeros capítulos el narrador mantiene una especie de diálogo, entrecortado y humorístico, con interrogaciones que no esperan contestación, de tono coloquial más que retórico. En el segundo capítulo este fragmentarismo se acentúa incluso en la forma impresa:

---

[84] M. Baquero Goyanes, *El cuento español del siglo XIX,* página 495.

«—¿Va usted bien?
—¿Se dirige usted a Málaga?
—¿Le ha gustado a usted la Alhambra?
—¿Viene usted de Granada?
—¡Está la noche húmeda!
A lo que responde ella:
—Gracias.
—Sí.
—No, señor.
—¡Oh!
—¡¿¡chis! [85].

Así, y en este tono a lo Karr pasado por Bonnat,
continúa frívolamente tratando de encontrar el misterio de la viajera hasta que en el capítulo III el diálogo toma un tono más serio. El cuento avanza con
un medido equilibrio de dos de las formas fundamen-
tales de todo cuento, es decir, descripción y diálogo.
En el capítulo VI hay una cruda descripción del cementerio del pueblo y del espeluznante hallazgo del
clavo. Así, entramos en el capítulo VII, en donde
el diálogo del juez y el sepulturero adquiere el valor
teatral que hemos señalado como característico a muchas obras de Alarcón. Teatralidad que queda grabada
en la memoria del lector en cuatro momentos del
cuento. Primero:

«¿Qué es esto, amigo mío? ¿No es un *clavo?*
Y así hablando daba vueltas con el bastón a un
cráneo bastante fresco todavía, que conservaba algunos espesos mechones de pelo negro» [86].

Segundo: la horrible escena se continúa en el capítulo VII con el diálogo del juez y el sepulturero, y tercero, la terrible confesión de *ella* después de recono-

[85] *Obras completas, El clavo,* pág. 59.
[86] *Obras completas, El clavo,* pág. 65.

cer «la cabeza» del asesinado. El final y cuarto momento teatral lo encontramos en la presencia de la condenada con un crucifijo en las manos mientras avanza, pálida y trémula, hacia su viaje final.

El cuento está montado sobre otro cuento, uno dentro de otro como en una especie de caja china. La historia de Felipe y Mercedes va a convergir con la historia de Zarco y su amada Blanca, que será la criminal Gabriela. El hallazgo del *clavo* ha unido los dos cuentos, primero, en el capítulo VI, sin saberlo aún los protagonistas, y en el capítulo XIV de manera declarada.

No podemos negar a *El clavo* un cierto efectismo melodramático y, no obstante ello, los resabios que hemos señalado de «la manera Karr» y el deseo de ejemplaridad y moraleja de los párrafos finales, es un excelente cuento.

La fatalidad o el destino juega un papel importante en *El clavo,* cuento esencialmente romántico, y ella es la manipuladora de todos estos enlaces y desenlaces, amorosos y dramáticos. La fatalidad une hasta el final a los tres personajes; la fatalidad hace que Zarco sea el juez que condene a Gabriela, la fatalidad hace que el perdón llegue tarde. Es decir, todo el cuento de *El clavo* ha sido movido por la tan romántica «fuerza del sino», y gracias a la soltura con que está escrito, al proceso graduado y ascendente del misterio, a la ambientación amorosa, la *cause celèbre* de origen francés, se ha convertido en un buen cuento español que deja un recuerdo imborrable.

El extranjero

Este cuento pertenece a la segunda serie de novelas cortas, llamada *Historietas nacionales,* quizá la selección más popular de las tres que escribió Alarcón (y la más saqueada por las *Antologías*). Las *Historietas* tienen como fondo, como hemos dicho, generalmente, sucesos históricos, más o menos reales, más o menos fantaseados, de nuestra Guerra de la Independencia, contados siempre en tono de exaltado patriotismo. Una de las peculiaridades de este cuento es que ese patriotismo ha dejado lugar a una actitud neutral y humana frente a la barbarie de unos soldados españoles. Alarcón, al hablar de estas *Historietas* en general, dice que «la patria y la gloria les sirven de exclusivo argumento». Ya nos ha dicho antes, insistentemente, que todas sus novelas cortas tienen un «fondo sano y hasta ascético», con lo cual parece decir que hay en ellas una intención moralizante, de ejemplaridad, que el autor quiere vaya siempre unida al sentimiento patriótico.

Corresponde esta historieta a uno de los años más productivos de Alarcón (1854) y está fechado en Almería [87], dato interesante, ya que la historieta dice la

---

[87] Se publica primero con el título de «Iwa» en *El eco de Occidente,* en Granada, y desde 1854 aparece en el *Museo Universal* con el título de «El extranjero» (Bibliografía de J. F. Montesinos en *Pedro Antonio de Alarcón*).

oyó camino de esta ciudad. Relato, pues, itinerante, frecuente en Alarcón.

El cuento consta de tres partes de desigual longitud. En la primera, el narrador, a modo de presentación y lección de tolerancia, se apoya sucesivamente en una máxima oriental, un precepto cristiano y un consejo de don Quijote a Sancho para preparar al lector a su ejemplar historieta. En la segunda, de manera decidida y valiente, se empieza el cuento con la presentación del testigo presencial que cuenta al narrador la historieta: es la más larga y el nudo del cuento. La tercera es el desenlace literario, a mi ver, lo «inventado» por el autor, a pesar de que él diga sobre las *Historietas;* en general, «Yo soy poco aficionado a inventar historias» [88]. Para este desenlace, no obstante, acude a una de esas «casualidades» a que tan aficionado es.

La forma del cuento es perfecta: el primer capítulo, expositivo, es de carácter narrativo; el segundo es un diálogo con unos breves pasajes descriptivos, y el tercero es de nuevo narrativo: lo importante se *habla,* y es el diálogo lo que imprime su carácter de «suceso real», al cuento. En la primera parte el autor nos dice que va a «narrar» una historieta en que se exalta un sentimiento no menos sublime y profundamente cristiano: el amor a nuestro prójimo» [89]. Deja ahora a un lado el referir los «actos heroicos de los españoles» y «la perfidia y crueldad de los invasores» y con ello su frecuente francofobia. En la segunda parte, el narrador recibe la historieta por boca del viejo minero que, a su vez, la cuenta con sobriedad y sencillez. En la tercera, más breve, la narración la hace un coronel a su amigo comandante y el narrador, que la oye, la enlaza con la parte segunda. Es decir, el autor, nuestro narrador, oye dos historietas que resultan completarse y tener los mismos personajes. También co-

---

[88] *Obras completas, Historia de mis libros,* pág. 10.
[89] *Obras completas, El extranjero,* pág. 121.

mienza con intención ejemplar y termina con una frase que encierra un propósito edificante, tan del gusto de Alarcón: «¡Vive Dios, señores, que en todo eso hay algo más que una casualidad!»

Otro dato curioso es que la historieta se inicia también con un viaje del narrador. Así como en otros cuentos los preámbulos para el encuentro con los viajeros son largos, aquí se pasa directamente de las consideraciones introductorias al diálogo con el minero, a quien encuentra en su camino. Este viejo, viene de las minas de Linares y cuenta que hace «cuarenta y cinco años», yendo con su mulo, encontró a los personajes de su historia en este mismo lugar. El final ocurre en Almería donde el narrador ha llegado después de su viaje en galera y de su encuentro con el minero.

En consonancia con la forma está el lenguaje, literario en un principio, coloquial en la segunda parte y más literario otra vez en la tercera. Conviene señalar que en la segunda parte es en la que «oímos» el sabroso lenguaje del viejo minero andaluz. Sobrio y justo, como buen campesino, al pararse de pronto en un sitio preciso exclama: «¡Cabales!»; no dice más; esta exclamación adverbial corresponde a los pasos que ha dado para encontrar el lugar del suceso. Ya sentado, cuando le ofrece el narrador «un cigarro de papel» (para distinguirlo del cigarro puro), el viejo, con gracejo y en forma muy andaluza, dice: «¡Delgadillo es…!», diminutivo peyorativo que con el que le sigue después de encenderlo: «¡Flojillo es…!», da a toda la escena un aire de realidad y un carácter de autenticidad, que sólo encontramos en sus mejores cuentos. El minero llama al narrador siempre «señorito», forma que en la tierra tiene un tono respetuoso y amable. El viejo, a la manera campesina, mientras hablaba, «echó unas yescas» y empieza su narración con fórmula tradicional en el cuento popular y arcaizante: «En aquel entonces…»

También es curioso, pues no creo que se oiga por otras regiones españolas, que el viejo cuente los años por duros calculados en *reales;* curioso tropo que aún hoy es frecuente y era forma muy usada entre la gente del pueblo en Andalucía; así, el minero, al hablar de su experiencia, dice: «Es necesario tener tres duros y medio de vida, como yo los tendré en el mes de San Juan...» La fecha del nacimiento tiene la vaguedad tradicional en el pueblo, ya que el calendario y los nacimientos van unidos a los días señalados por el Santoral y a las fiestas patronales de cada pueblo. Así es frecuente oír: el niño cumple para la Pascua, para Santa Ana, para la Virgen de Agosto, etcétera, y rara vez dicen la fecha. Este habla popular, termina en el segundo capítulo, o parte, ya que el tercero, no obstante conservar un carácter hablado, tiene otro tono como corresponde al personaje: un coronel que se dirige a un comandante de manera llana y directa. Por ello, Alarcón aclara que la anécdota del *Risas* la contó:

> «Con la fe sencilla del antiguo militar, con el arranque de un buen español y con toda la autoridad de sus canas: ¡Vive Dios, señores, que en todo eso hay algo más que una casualidad!» [90].

Y con la enérgica frase aseverativo-exclamativa, con ese ¡Vive Dios!, correspondiente, va envuelta con la fe militar, el arranque de «buen español» y la autoridad. Alarcón añade que los militares hablaban «tan alto como suelen los que han mandado mucho».

Aunque el cuento se llame *El extranjero* y el lector piense encontrarse con este personaje y crea que va a ser el verdadero protagonista, ocurre que es el viejo minero el que *habla* en el ámbito real ya que el extranjero es el personaje de su historieta. Es el

---

[90] *Obras completas, El extranjero,* pág. 125.

viejo en cierta manera, el centro de atención del cuento, pero el sujeto de la historieta que él cuenta, sí es Iwa, el polaco, el extranjero en España, «Un hombre fino, un joven hermoso y blanco como una mujer, un enfermo después de seis meses de tercianas...»[91]. Los soldados, dos, o mejor dicho uno, el llamado *Risas* lleva a cabo el robo y el asesinato, que acompaña con la bárbara mutilación del extranjero y que, en consecuencia, recibe el terrible castigo de su crimen.

Respecto a las mujeres, de la misma manera que Iwa, son personajes de quienes se habla y a las que se cita, refiriendo sus propias palabras, e incluso serán las ejecutorias de la terrible venganza, pero no aparecen en el ámbito real del cuento.

Hay un objeto, casi con «valor protagonístico»[92] y de gran efectividad, que es uno de los móviles del crimen y que sirve para unir la primera parte de la trágica historieta de Iwa con la final: «Un cierto medallón (con retrato de mujer o de Santa) que llevaba al cuello.» Este medallón de plata, al llevarlo *Risas* colgado, sirve para que las hermanas y la madre de Iwa descubrieran su crimen, impulsándolas a perpetrar su cruel venganza. Gracias al medallón se enlaza la historieta del minero con la del coronel y se cierran todas las conexiones de los dos relatos.

La historieta tiene dos lugares vividos, los dos en Andalucía, uno en el barranco o cañada que Alarcón pinta con tonos «verdes», con diáfano horizonte, a la «orilla de un pequeño torrente» mientras el viejo se sienta «bajo unas higueras cubiertas ya de hojas» y que también es el lugar del suceso sangriento. Otro, es el casino de Almería que el autor califica de «pre-

---

[91] *Obras completas, El extranjero*, pág. 123.
[92] M. Baquero Goyanes, *El cuento español en el siglo XIX*, capítulo sobre «Cuentos con objetos como protagonistas». No figura éste.

cioso», en que el narrador, el coronel, el comandante y otros contertulios se hallan al final de la historieta. Pero hay unos lugares contados que son los del recorrido por los soldados españoles prisioneros de los franceess y llevados de Málaga a Suecia y de allí a Varsovia, donde muchos, como *Risas,* terminaron su odisea.

El cuento empieza en una de «estas mañanas de abril» en que la luz y el color dan una nota primaveral a la naturaleza que contrasta con el dramatismo de la historieta. Termina «tres noches después» en el casino almeriense. Escenarios pues, realistas, sin ninguna teatralidad a los que llegamos de una manera normal y sin previas peripecias.

Acaso lo que sobre en el cuento es la lección moral. En lo demás la historieta tiene gran fuerza dramática, llevada sin excesos en los momentos que podrían haber tenido un tono macabro, ni aparecen largas peroratas patrióticas de que en otras historietas hace gala. Sólo el viejo minero en la parte segunda, llama al corazón de los soldados españoles con imprecaciones normales dada la situación. El cuento es una excelente estampa de guerra narrada con suma sobriedad y eficacia [93].

[93] A. H. Krappe, «The source of P. A. de Alarcón, *El extranjero*», *Hispanic Review,* 1943, XI, 72-73. Cree haber encontrado el origen del cuento alarconiano en una balada serbia; creemos con J. F. Montesinos que puede ser un tema folklórico con un área de extensión muy grande y que tanto la balada como la historieta recogen elementos de un mismo origen.

La mujer alta

Cuento de miedo

Aunque por la fecha de la composición este cuento
debería ser el último de la presente selección, por razones de ordenación y extensión he preferido colocar-
lo como el primero de las *Narraciones inverosímiles*
que van incluidas.

El cuento de *La mujer alta* está fechado en 1881
en Valdemoro, donde se retiró Alarcón sus últimos
diez años. Apareció en la revista de Barcelona *Ilustración Artística* un año después y es en todos los
sentidos una obra de madurez que corresponde, en
relación con su creación novelística, a sus dos últimas
obras: *El capitán Veneno* y *La pródiga.*

Alarcón dice respecto a este «cuento de miedo»:

> «[En] *La mujer alta,* desde la primera letra del
> relato hasta el final del segundo encuentro de Te
> lesforo con la terrible vieja, no se refiere ni un
> solo pormenor que no sea la propia realidad. ¡Lo
> atestiguo con todo el pavor que puede sentir el
> alma humana!» [94].

En esta cita, Alarcón usa de nuevo el recurso literario de dar al cuento un carácter «documental», real;
añade para fortalecer esta intención, el miedo que le

---

[94] *Obras completas, Historia de mis libros,* pág. 10.

inspira que la «inverosímil» historia tenga un fondo de realidad; así establecido, el cuento adquiere una mayor fuerza expresiva.

Recordemos que esta Tercera Serie la dedica al pintor Dióscoro Puebla, «al más asiduo y taciturno tertuliano de mi casa»: quizá por esa taciturnidad fuese amigo de este género «inverosímil», y fantástico. J. F. Montesinos cree que el adjetivo «inverosímil» aplicado a estos cuentos es sinónimo de «pura invención», aunque aclara:

> «y cuando reales, pertenecen al reino de las alucinaciones o pesadillas» [95].

La Pardo Bazán, poco entusiasta de esta tercera serie, señala algo más:

> «Se destaca La mujer alta, en la cual hay (sobre todo al principio, en la parte no inventada) cierto terror sugestivo, muy hondo...» [96].

A mi entender este cuento pertenece al mundo de las «alucinaciones o pesadillas», más que al de la «pura invención». El mismo Montesinos añade que son historias que desde la aparición de los cuentos de Hoffmann,

> «constituyeron en toda Europa una de las formas clásicas del cuento fantástico» [97].

No parece que Alarcón conociese la obra del alemán Hoffmann, pero en cambio conocía bien la del gran cuentista americano Edgar A. Poe y parece fue el introductor de ella en España. Ángel del Río

---

[95] J. F. Montesinos, *Pedro Antonio de Alarcón...*, pág. 119.
[96] Emilia Pardo Bazán, *Obras completas,* t. III, pág. 1380.
[97] J. F. Montesinos, *Pedro Antonio de Alarcón...*, pág. 124.

dice: «Fue el primer escritor de habla española que se ocupó de E. A. Poe» y el mismo crítico añade:

> «de mejor estilo (que *El final de Norma*), de idéntico sesgo fantástico son los cuentos y novelas cortas que reunió luego con el título de *Narraciones inverosímiles*» [98].

Alarcón escribió sobre Poe un pequeño ensayo en 1858 que aparece en las *Obras Completas* y en el que se observa la admiración que despertó en él la fantasía y la tensión que el americano crea en sus cuentos. Después de grandes elogios, de comparaciones más o menos justificables entre Byron y Poe dice de éste que su obra tiende hacia el mundo de lo fantástico y «propende a exaltar y turbar la mente de sus lectores...» [99]. Afirma, que este autor siempre somete la fantasía y usa de la razón «para probar lo imposible, lo extraordinario, lo extranatural, lo inverosímil» [100]. Interesante me parece, esta apoyatura en la razón para justificar lo que parece más irracional e increíble.

La forma de este cuento sigue con perfecto equilibrio, un recurso siempre grato a Alarcón: se trata del cuento en el cuento.

La mujer alta se compone de seis capítulos desiguales en extensión, forma y coloración. El primer capítulo, relativamente breve, es una introducción: unos amigos escuchan la «historia» que uno de ellos, el «orador», cuenta: arranque de vieja tradición literaria y cuentística. En el segundo capítulo el «orador»

---

[98] Ángel del Río, *Historia de la literatura española*, t. II, N. Y. Holt, Rinehart and Winston, 1963, pág. 186.
[99] *Obras completas, Juicios literarios y artísticos. Edgar Poe*, página 1776.
[100] *Obras completas, Juicios literarios y artísticos. Edgar Poe*, página 1777.

refiere su visita de pésame a su amigo Telesforo, quien le dice que tiene que hablarle de «una circunstancia horrenda y misteriosa» de su vida. La narración y el diálogo se unen en este capítulo preparatorio de los dos centrales: el tercero y el cuarto. En el tercero, Telesforo explica nervioso, en lenguaje exaltado y gráfico, cómo y cuándo se encontró con la mujer alta: con lo que da principio la confesión con el amigo; es el más largo de los capítulos, el central y fundamental. El cuarto, que completa la historia, narra el segundo encuentro con la misteriosa mujer. El capítulo quinto es una especie de interludio en que Gabriel —el orador-narrador—, cambia impresiones con los amigos excursionistas, y les prepara para el sexto y último capítulo en que él, Gabriel, se convierte también en personaje de la inverosímil historia, dejando que los amigos y el lector, saquen sus propias consecuencias. El cuento inverosímil queda en el centro de la narración y el orador del primer capítulo, se convierte en protagonista del último. El «cuento de miedo», pues, fantástico y pesadillesco, queda enmarcado por un ambiente perfectamente realista. Además, el cuento fantástico central, de la mujer alta, ocurre en un mundo absolutamente concreto, real y documentado: el Madrid de los Austrias, un Madrid que Alarcón conocía perfectamente por haber vivido en él. Es decir: si real es el *marco* del primer capítulo de los contertulios excursionistas, reales son también los lugares del cuento inverosímil y con ello la historia gana en intensidad dramática, y se carga de emoción y misterio.

Al juego de realidad y fantasía se unen por su especial condición los personajes: primero los seis amigos de la merienda:

«de diferente edad, pero ninguno joven y sólo uno entrado ya en años; también ingenieros de montes tres de ellos, pintor el cuarto y un poco literato el quinto... y el orador, que era el más pollo» [101].

Es evidente la intención en la elección de carreras prestigiosas para sus interlocutores; salvo el pintor —que no pinta nada en el cuento— la mayoría son ingenieros, es decir hombres de ciencia, seguramente positivistas y poco dados al mundo de lo quimérico. A ellos se dirige el orador, Gabriel, «distinguido ingeniero de minas», hombre de sociedad y amigo de Telesforo por varios años. Telesforo, «ingeniero de caminos... guapo, fuerte, animoso... primero de su promoción en la Escuela de Caminos» joven que se disputaban las empresas y las damas; la muerte de su novia es la causa de la visita de pésame de Gabriel a Telesforo; en ella el desconsolado novio cuenta al amigo su extraña historia. Hasta aquí, todos son personajes perfectamente normales, casi diríamos vulgares dentro de la burguesía de la época. La protagonista del cuento, la mujer alta, no aparece hasta el tercer capítulo. Telesforo la describe minuciosamente y relata su encuentro con ella en una madrugada madrileña. Su descripción hace pensar inmediatamente en cualquiera de las figuras de las pinturas negras de Goya o en alguna esperpéntica mujer valleinclanesca; «giganta» con «ojos de buho» y «nariz de tajamar», vestida como «mozuela de Avapiés» con «pañolito nuevo de algodón» anudado en la barbilla; figura deformada magistralmente por el escritor.

El primer lugar del cuento y el del final que lo cierra, es un lugar abierto, al aire libre, a plena luz, cerca de El Escorial, en la sierra del Guadarrama bajo un pino y donde comen y beben los amigos. Este ambiente de bucólico regocijo no nos prepara para el «cuento de miedo» si no supiéramos por el subtítulo que nos espera algo fuera de lo normal.

---

[101] *Obras completas, La mujer alta,* pág. 221.

En el segundo capítulo el lugar es el despacho de Telesforo, que Gabriel dice presentaba aspecto de prosperidad. En el capítulo tercero, Telesforo nos describe el lugar de su primer encuentro con la mujer alta: la calle de Peligros por donde se dirigía a su casa, en la de Jardines; allí, en el hueco de una puerta vio a una mujer monstruosamente alta; huyó hacia la calle de la Montera donde encontró al sereno de Caballero de Gracia que entró por la calle de la Aduana a la de Peligros esperando acorralar a la terrible «mujer» entre él y Telesforo; ésta desapareció sin dejar rastro. El recorrido está perfectamente establecido en el distrito del Centro que queda alrededor de la Iglesia del Caballero de Gracia, tan característica de aquel Madrid.

El segundo encuentro ocurre también por esos barrios pero en el distrito del Congreso, pues Telesforo vivía en ese tiempo en la calle del Lobo (hoy Echegaray), «muy cerca de la Carrera de San Jerónimo». Telesforo, camino de su casa, al cruzar la calle del Prado, ve a la «mujer» que parecía dirigirse a la plaza de Santa Ana; ella le sorprende y entra detrás de él en la calle del Lobo y allí tiene lugar una desesperada lucha entre los dos, después de la cual, «la espantosa mujer», huye hacia la calle de las Huertas donde también desaparece. Alarcón parece haber trazado sobre un plano de la corte las idas y venidas de sus personajes. A los lugares descritos còn impresionante precisión, se une una especie de realismo mágico, alucinante, de grandes y fuertes pinceladas.

Por última vez la mujer alta reaparece en el cementerio de San Luis, donde se encuentra con Gabriel, en el entierro de Telesforo. Ella «desapareció para siempre en aquel laberinto de patios y columnatas llenos de tumbas...» Al final, brevemente, el «orador», vuelto a la realidad en el lugar serrano, interroga de forma retórica a sus compañeros, sin esperar contestación, sobre sus opiniones ante tan insólito caso.

El tiempo del cuento está también fijado: merienda serrana en el verano de 1875 entre «Santiago y San Luis», en que se cuenta la extraña historia. La visita de pésame de Gabriel a Telesforo tiene lugar «a fin de verano de 1859»; el primer encuentro con la mujer alta tuvo lugar «a las tres de la madrugada» del 15 ó 16 de noviembre de 1857, y «a las seis en punto» de esa madrugada recibió la noticia de la muerte de su padre. El segundo encuentro había ocurrido hacía «tres semanas» (es decir tres semanas antes de la visita de pésame de Gabriel a Telesforo) y por lo tanto sabemos que ocurre en el año 1859. «Eran las cinco de la madrugada» cuando encuentra esta vez a la horrible figura a la que sigue la noticia de la muerte de su novia. En el último capítulo cuenta Gabriel que a los «cinco meses de ausencia de Madrid», y a su vuelta a la capital «el mismo día que llegó el parte telegráfico de la batalla de Tetuán» (1860), «aquella noche» leyó en la *Correspondencia de España* que su amigo Telesforo había muerto y que el entierro sería a la mañana siguiente. Gabriel ve por única vez a la mujer alta en el cementerio, por la mañana: desde entonces «han pasado quince años» ...y «no he vuelto a verla». La fijación de tiempo y el deseo de «historicidad», son evidentes.

Alarcón, para hacer más verosímil su narración, hace que la mujer alta se presente físicamente a los ojos de Telesforo, que desde sus «tiernos años», siempre sintió horror a «una mujer sola en la calle, a las altas horas de la noche». Este terror enfermizo, psicótico, incontrolable, choca ahora con la fama de hombre valiente, duelista, y arrojado, de que goza entre los amigos. El pavor irracional de que había sufrido a lo largo de su vida, se hace realidad; allí estaba la «repugnante visión», aquella mujer cuyo contacto o roce a la tenebrosa luz del farol de la calle, produce el desvarío en Telesforo; el miedo del personaje, se comunica al lector.

En el cuarto capítulo estas notas se acentúan de manera magistral; se produce un crescendo de tensión; la reacción de Telesforo esta segunda vez, y a pesar del terror que le domina, es muy otra: con «insensata ira» se arroja sobre ella, que lanza un grito como de bestia herida.

En estos dos capítulos centrales la presencia de la mujer alta, como tremendo agüero, precede siempre a una noticia sobre la muerte de un ser querido: el padre de Telesforo y la novia. La vieja aparece como una maldición en la vida de Telesforo, siempre mensajera de terribles desgracias y provoca en su víctima las más angustiadas reacciones y preguntas.

Aquí podría terminar el «cuento de miedo»; hasta aquí lo que le gustaba a doña Emilia Pardo Bazán, lo que Alarcón aseguraba pertenecía «a la propia realidad». Pero Alarcón no se contenta con este cierre, quiere añadir a lo oído, o vivido, algo que mantenga latente la equívoca situación y el misterio creado y deja que el cuento quede abierto. Los dos capítulos restantes añaden unos acontecimientos nuevos a la serie de circunstancias *inverosímiles* del cuento, un nuevo suceso extranatural: Gabriel, que creyó loco al amigo Telesforo, va a ser víctima en el capítulo final, de la mortal mirada de la mujer alta. La encuentra en el entierro de Telesforo en el cementerio. Allí ve a «una mujer vieja y muy alta» que, como bastonero mayor en un desfile, va indicando a los enterradores el camino de la tumba, entre cruces y avenidas: la mensajera de la muerte, triunfadora «se reía impíamente al ver bajar el féretro»; su víctima estaba muerta. Pero Gabriel ha heredado el terror de Telesforo y teme ser el objeto de aquella maldición.

Al terminar la narración y recordar su propio pavor dice,

> «... han pasado quince años y no he vuelto a verla... Si era criatura humana, ya debe de haber muerto, y si no lo era, tengo la seguridad de que me ha desdeñado...» [102].

¿Alucinación, pesadilla, locura?

Para terminar: hay un objeto tremendamente sugestivo e impresionante: el abanico de la mujer alta. No llega a tener valor protagonístico como el clavo del cuento ya analizado, pero tiene un valor simbólico y plástico extraordinario. Aparece por primera vez en el capítulo tercero al narrar Telesforo su primer encuentro con *ella*. Manifiesta su asombro ante,

> «un diminuto abanico abierto que tenía en la mano y con el cual se cubría afectando pudor, el centro del talle» [103].

Y poco después, el mismo personaje observa:

> «Nada más ridículo y tremendo, nada más irrisorio y sarcástico que aquel abaniquillo en unas manos tan enormes, sirviendo como de cetro de debilidad a giganta tan fea, vieja y huesuda!» [104].

En el mismo capítulo, Telesforo cuenta el pánico que le produjo cuando en la calle casi le tocó en el hombro «con el abanico» y en el capítulo cuarto, añade que cuando vuelve a tropezar con *ella* la vio «abanicándose irrisoriamente como si se burlara de mi pueril espanto». También al huir aquella vieja por la calle de las Huertas, con gesto desenfadado, «amenazóme

---

[102] *Obras completas, La mujer alta,* pág. 228.
[103] *Obras completas, La mujer alta,* pág. 224.
[104] *Ibíd.*

una y otra vez esgrimiendo el abaniquillo cerrado, y desapareció detrás de una esquina». Pero no termina aquí la constante alusión a ese símbolo, sino que en el capítulo VI, cuando la encuentra Gabriel en el cementerio, *ella* va a la cabeza «de los enterradores, señalándoles con un abanico, muy pequeño, la galería que debían seguir». La descripción que de ella hizo Telesforo, basta para que Gabriel la haya reconocido: «con aquel diminuto abanico...» Dos veces en el cuento usa Alarcón el sustantivo «cetro» como calificativo del abaniquito; la primera vez aparece como «cetro de debilidad» para *giganta* tan horrible y vieja, relacionando así los tamaños del símbolo —el *abaniquillo*— y la mujer «giganta» como opuestos. La segunda vez, en el capítulo final, le denomina «cetro del impudor y de la mofa...» Pero en todos los casos, el abanico arrastra una serie de connotaciones inmediatas: especie de varita mágica y maléfica, símbolo de poder y autoridad, continuación de un dedo acusatorio que subraya la afición alarconiana a la teatralidad, que siempre acompaña la aparición *en escena* de la mujer alta. El abanico es, pues, el objeto, el instrumento, el símbolo teatral, sin el cual este inolvidable personaje no tendría la fuerza dramática que tiene en la «inverosímil» inquietante y pesadillesca narración.

El amigo de la muerte

Dice Alarcón en *Historia de mis libros,* y perdónese lo largo de la cita:

«Con *El amigo de la muerte* me ha ocurrido una cosa singularísima. Contóme mi abuela paterna su argumento cuando yo era niño, como me contó otros muchos cuentos de brujas, duendes, endemoniados, etc. Lo escribí en compendio antes de salir de Guadix y lo publiqué en un semanario de Cádiz, titulado *El eco de Occidente.* Visto su éxito lo amplié en Madrid y volví a publicarlo en *La América,* y desde entonces hice de él ediciones continuas en mis colecciones de novelas. Pues bien; hace pocos meses un amigo queridísimo me contó que acababa de oír cantar en el Teatro Real de esta Villa y Corte una antigua Ópera italiana titulada *Crispino e la Comàre,* cuyo argumento venía a ser el mismo, mismísimo de *El amigo de la muerte.* Nunca había yo visto aquella Ópera, aunque sí la conocía de nombre... Pero mi amigo (que es catalán) se calló, compró el libreto de *Crispino e la Comàre* y me lo envió...; ¡Figuraos mi asombro! El asunto de ambas obras no tenía meramente semejanza... ¡Era el mismo con la circunstancia agravante de que la Ópera llevaba fecha anterior a mi cuento!... Pronto caí en la cuenta de lo que, sin duda alguna, había acontecido: el cuento, por su índole, era popular y las viejas de toda Europa lo estarían refiriendo, como las de España, Dios sabe desde qué centuria... Por lo demás, excusado, es decir, que, entre la obra lírico-dramática y mi cuento, notábanse sobradas diferencias externas para justificar esta explicación. En la Ópera la muerte es una vejezuela innoble, y en la mía un caballero invisible, que ejerce la medicina. El discípulo de la negra deidad es casado en la fábula extranjera, y soltero en la mía. Allí resuelve grotescos y ruines conflictos de un matrimonio vulgar, aquí da origen a un drama fantástico, con ínfulas de cósmico... En suma, no habrá quien me acuse de plagio por grande que sea su mala fe; y de todos modos, conste a los leales, que yo he sido el primero en *delatar* al público esta pícara casualidad» [105].

A esta curiosísima historia se pueden añadir algunos datos; la Ópera italiana tiene música de Luigi Ricci y el libreto es de Piave; se estrenó en Venecia en 1850, es decir, dos años antes de publicar Alarcón el cuento en *El eco de Occidente,* que había escrito en Guadix. No se estrenó en París hasta 1865 y en el Teatro Real de Madrid hasta diciembre de 1878, lo cual quiere decir que su alegato sobre la independencia de su cuento parece irrefutable [106].

Fechado en Guadix, publicado en *El eco de Occiden-*

---

[105] *Obras completas, Historia de mis libros,* pág. 9.

[106] Sobre la Ópera de *Cristino e la Comàre; The Stand Opera,* A. C. McClurg and Co., Chicago, 1895. Sobre el estreno en el Teatro Real, José Subirá, *Historia y anecdotario del Teatro Real,* Madrid, ed. Plus Ultra, 1949. Los datos me los ha proporcionado el musicólogo Emilio Núñez.

J. F. Montesinos, *Pedro Antonio de Alarcón...,* pág. 44, señala que es curioso que en este largo alegato sobre semejanzas con la Ópera, no mencione para nada el cuento de la Fernán Caballero, *Juan Holgado y la muerte,* también de origen popular y publicado en el *Semanario pintoresco,* donde años después colaboró Alarcón. No cree el crítico que la silenciación sea involuntaria, ya que el nombre de doña Cecilia no aparece nunca mencionado por Alarcón.

M. Baquero Goyanes, *El cuento español en el siglo XIX,* página 244, habla de un cuento de Antonio Trueba, *Traga Aldabas,* con el mismo tema pero escrito quince años después.

te en 1852, *El amigo de la muerte,* que él llama unas veces cuento y otras novela —como vemos en la cita— es una de sus obras breves más interesantes, atrevidas y fantásticas; parece increíble que la escribiese a los diecinueve años y asombra su madurez y complejidad en la presentación de un inquietante «otro mundo» con «ínfulas de cósmico», como él dice. Años después Alarcón se da cuenta del potencial cuentístico del tema y con falsa modestia lamenta que no hubiese caído en manos de un «más experimentado escritor».

La estructura de este cuento es perfecta; se acerca a ciertas fórmulas que serán típicas en obras posteriores; cinco capítulos de presentación de personajes y tema, seis centrales entre la «vida» y la muerte y cinco finales, donde se proyecta la historia en el puro mundo de la fantasía, más una breve y extraordinaria Conclusión.

El tránsito de la realidad, la de este mundo, al mundo de la muerte —que es vida— está llevado de manera magistral; nos parece que lo real es irreal, que lo imposible es posible, que lo soñado es vivido, y en ese equívoco entre el vivir y el morir, en ese filo, está la gran fuerza y modernidad del cuento de Alarcón que, como dice J. F. Montesinos, «pudo titularse *La muerte es sueño...*»

En los dos primeros capítulos domina el tono y forma narrativas, de períodos más largos, enumerativos, con frases exclamativas. Tiene inolvidables capítulos descriptivos como los preciosos de las dos cortes (capítulo VII y VIII), en donde domina el diálogo rápido y coloquial, pero la proporción en todo el cuento de las tres formas está también perfectamente equilibrada. Las descripciones de los cinco últimos capítulos, panorámicos y alucinantes, tienen una elegancia poco frecuente en Alarcón.

En cuanto al lenguaje hay dos niveles: el popular idiomático, a veces vulgar («dándole con la puerta en los hocicos», «Pero vamos a cuentas», «¡Chito!... ¡A ver cómo te portas!», «das un puntapié a la escalera», etc.) y el culto, literario, a veces un tanto artificioso («en hora tan mística y solemne», «a cuyo regalado son se estremecieron los espíritus invisibles de la soledad», «cual si el astro-rey...», «Diríase, en fin, que en aquella tarde iba a disolverse la asociación misteriosa...», etc.). Alguna vez también aparece el autor en su obra con esa fórmula retórica que acaba por pesar («¡sigamos nosotros!»... «hubieran sido para nuestro héroe...», «nosotros podríamos hoy comunicarlas a nuestros lectores...», «nosotros podemos hacernos cargo...», etc.). Todo ello, procedimiento muy siglo XIX de involucrar al lector en la lectura. Y, finalmente, termina con una desgraciada coletilla, fuera de tono, que también implica ciertos resabios de época: «Por lo demás, yo puedo terminar mi cuento... diciendo que *fui, vine y no me dieron nada.*» Sólo he encontrado una exclamación andaluza [107], en boca de la Muerte al dirigirse al amigo, que dice, a manera de reconvención: «¡Niño!» En esta obrita, como en toda su obra novelística, se observa, como ya hemos señalado, el cuidado que pone el autor en la pureza de su lenguaje.

En los nombres propios también vemos marcados los dos estamentos: el popular, Gil Gil, zapatero-paje, su madre, Crispina López [108]; su padre putativo, Juan Gil, frente al estamento de la aristocracia: los duques de Monteclaro, los condes de Rionuevo —títulos de nombres compuestos, de intencionado simbolismo— y

---

[107] J. F. Montesinos, *Pedro Antonio...*, pág. 129, habla de algunos granadinismos de la primera versión del cuento que luego desaparecieron.

[108] Creo importante que Alarcón conservara el nombre de *Crispina* en todas las ediciones de este cuento; si hubiese querido encubrir un plagio de la Ópera, *Crispino e la Comàre* no lo hubiese hecho, dato que apunta, a su vez, al origen folklórico del tema.

los cortesanos de Felipe V y de Luis I, de altisonantes apellidos, algunos históricos.

Tres son los principales personajes del cuento: Gil Gil, Elena de Monteclaro y la Muerte; hay muchos personajes secundarios. En el triángulo formado por la amada, la Muerte y el Amigo es figura dominante la terrible «deidad». Gil Gil, zapatero y paje de los Rionuevo, hijo natural del conde, tiene diecinueve años —la edad del autor— cuando inicia su amistad con la Muerte, es decir, cuando, desesperado por la muerte de su protector (Rionuevo) y arrojado de su palacio, vuelve al portalillo de zapatero. Desde el capítulo III, Gil Gil, con su mentora, entra en otra *vida* en que encuentra éxitos, médico del rey, fortuna, y títulos: el rey le hace Duque de la Verdad. El personaje va creciendo y cada vez se aproxima más a su única meta: su matrimonio con Elena, que ocurre en el capítulo XI. Hasta aquí, donde termina lo que Alarcón llama la primera parte del cuento, todo podría ser un sueño de Gil. Desde el capítulo XII («El sol en el ocaso»), Gil Gil se inquieta y angustia, se encuentra en un desconcertante estado y cuando ve a la Muerte se rebela contra ella por que teme le separe de su amada. Todo está llevado con ritmo perfecto: del éxtasis del primer beso (capítulo XIII) a la furia y desafío al «lúgubre personaje» (capítulo XIV) y de aquí pasa a la resignación, sabiéndose vencido. Ese nuevo Gil Gil reaparece en los tres últimos capítulos: al temeroso y asustadizo, y al triunfante y exigente, sucede un personaje nuevo, extático, admirativo, en manos de la Muerte. En la Conclusión, Gil y Elena entran en la Tierra de Promisión: Gil, por el amor de Elena y por la intervención benéfica de su amiga la Muerte, queda perdonado y purificado. El personaje de Gil, no obstante ser principal en la obra y uno de los más interesantes de Alarcón, debido a la doble condición de vivo-muerto en que aparece en el cuento, resulta, a veces, incierto en su perfil y algo difuminado.

Elena de Monteclaro, el personaje femenino, tiene doce años cuando entra en la vida de Gil y vuelven a encontrarse en el capítulo II cuando ella tiene dieciséis años. Es el amor de Gil por Elena la causa de su amistad con la Muerte: ésta le promete que Elena será suya y el deseo de unirse a la amada, a la joven duquesita, es el móvil de toda su aventura, la razón del cuento. Elena no interviene como personaje hasta el capítulo VII («La cámara real»). Su aparición de carácter teatral, al levantar un tapiz, nos hace pensar también en un cuadro velazqueño. Reaparece, de manera semejante, en el capítulo X cuando llama a Gil en nombre de la Reina, de la que es dama:

> «Aquella dama era Elena... Elena y Gil Gil quedaron de pie mirándose, sin acertar a decirse una palabra... como si temieran que su mutua presencia fuese un sueño...» [109].

Siempre se presenta la hermosa Elena envuelta en misterio y como temerosa de despertar. La descripción de Elena no ocurre hasta el capítulo XII y Alarcón, con su insistente fórmula de comparar a sus mujeres con esculturas clásicas, nos la describe como una Juno. Tiene ya diecinueve años de esplendorosa juventud:

> «Elena era alta, de formas esbeltas y esculturales, toda bella, artística y seductora. Su redonda cabeza coronada de cabellos rubios... se adelantaba valientemente sobre un cuello blanco y torneado como el de Juno» [110].

Añade a esta presentación que su blancura la hacía parecer de mármol, «como las nobles Minervas». Hay,

---

[109] *Obras completas, El amigo...,* pág. 207.
[110] *Obras completas, El amigo...,* pág. 210.

sin embargo, notas de color, aunque pocas, en el cuento: el dorado del pelo, el azul de los ojos, la roja boca, «bermeja como la flor del granado, húmeda y brillante como la cuna de las perlas...» que se completan con otras como la comparación con «las náyades y las nereidas», de gusto casi modernista. El autor añade que en la tarde de sus bodas en un misterioso jardín de una quinta del Guadarrama, la desposada quedó desmayada, y dice Alarcón: «Parecía una noble estatua sin pedestal, olvidada en medio del jardín.» Bellísima imagen de extraordinaria plasticidad, más prerrafaelista que escultórica.

En el capítulo final reaparece, en el jardín, esta nueva Beatriz que ilumina el camino de su amado, «reflejo de la inmortalidad»; su amor logra el perdón del pecado de su «esposo». Otra vez Alarcón con el sentido plástico que caracteriza muchas de sus obras, nos describe a los enamorados con los ojos puestos en el cielo, cogidas las manos,

> «helados, petrificados, inmóviles en aquella religiosa actitud, de rodillas .., como dos magníficas estatuas sepulcrales» [111].

Gil y Elena vienen a formar cortejo entre las parejas famosas; Abelardo y Eloísa, Dante y Beatriz, Calixto y Melibea, Romeo y Julieta, etc. Todos sufren las penas del amor, uniones que no se realizan plenamente, sino en la Muerte. La Muerte aquí, como misteriosa celestina, aunque benéfica, les lleva hacia la eternidad, donde su amor nunca tendrá fin.

Como hemos dicho, a pesar del título del cuento, la verdadera protagonista es la Muerte. Ésta se ofrece, se presenta a Gil como una *idea* apetecible, en medio de su desesperación y ante los reveses de su fortuna en la vida; no piensa en ella ni con miedo ni

---

[111] *Obras completas, El amigo..., pág. 220.*

con horror, y el autor nos dice que la Muerte llega «afable, bella y luminosa, como la describe Espronceda»[112]. Con la misteriosa «mujer» del poema de Espronceda, coincide además la «negra deidad» de Alarcón en la voz, «dulce y tierna», a la que éste añade el adjetivo «divina».

Inmediatamente (capítulo II) se habla de que sin ver aún su rostro, la *persona* se presenta con «negro traje talar, que no correspondía precisamente a ninguno de los dos sexos». No se la nombra nunca mujer ni hombre, sino *ser* o *persona,* cambiante siempre, equívoco[113]. La presentación del personaje me parece de gran fuerza y originalidad:

> «No tenía ni asomos de barba y, sin embargo, no parecía mujer. Tampoco parecía hombre a pesar de lo viril y enérgico de su semblante .
> Lo que realmente parecía era un ser humano sin cuerpo mortal determinado. Dijérase que era una negación de personalidad»[114].

La presentación parece la perfecta descripción de un grabado romántico, de un ser andrógino, de largos cabellos, a la cual va unida la precisión curiosa de la edad —la misma de Cristo— y a su hermosura se añaden «unos ojos de sombra, unos ojos de luto, unos ojos muertos». Triple imagen que refuerza el misterio de la «negra deidad» y de esos ojos, que «fascinaban como un abismo sin fondo, consolaban como el olvido». La serena y acogedora figura se declara mensajera de Dios e intermediaria para reunirle con Elena y lograr el per-

---

[112] *Obras completas, El amigo...,* pág. 194. Se refiere a *El Diablo Mundo,* de Espronceda, canto I.

[113] J. F. Montesinos, *Pedro Antonio...,* págs. 126-127, señala que en las primeras versiones la Muerte aparecía como hombre, pero que el autor, dándose cuenta de que esto «no hacía buen sentido en castellano», lo cambió.

[114] *Obras completas, El amigo...,* pág. 195.

dón a su pecado. La Muerte ha elegido a Gil como amigo, el único entre los mortales, por simpatía y compasión ante su soledad y desgracias; por ello, decide ayudarle haciéndole médico: será el único que pueda predecir la muerte o la curación del enfermo.

Ninguna nota externa de las usuales, nada que produzca espanto ni horror en esta figura acogedora y atractiva, que crea el maravilloso sueño de la muerte: deidad protectora que espera entregar el alma de su amigo limpia y pura a Dios.

Vemos que Alarcón ha desdoblado, en cierta manera, la figura tradicional de la amada romántica que con su amor salva al pecador enamorado; aquí, Elena y la Muerte se complementan. La Muerte da a Gil una profesión que le va a llevar al éxito, a la fama, a la riqueza, a su amada... a las manos de Dios. Benefactora amiga, se defiende con inquietantes palabras cuando Gil la acusa de que mató a su madre:

> «¡Yo no hago sufrir a nadie! Quien os atormenta hasta que dais el último suspiro es mi rival, la Vida; ¡esa vida que tanto amáis!» [115].

La deidad reaparece en el capítulo VI y lo hace en la Cámara Real: se trata de que Gil interprete por la *postura* de la Muerte si el condenado —el rey o la duquesa— va a morir ese día y en cuantas horas. Toda la mímica, todos sus movimientos, sólo Gil los puede ver e interpretar: sólo él la ve y la oye. Estos movimientos se aumentan en el capítulo VIII, donde la Muerte, después de poner la mano con gesto teatral sobre la cabeza de la duquesa de Rionuevo, le da un beso en la frente, con lo cual pone la rúbrica sobre su cadáver y parece terminar esta lenta danza mortal.

En la segunda parte del cuento hay en la función

---

[115] *Obras completas, El amigo...*, pág. 197.

de la Muerte un cierto recuerdo de Virgilio, compañero, guía y amigo del Dante, por el Infierno y Purgatorio. La Muerte, como mentora y maestra, va enseñando a Gil lo que es el mundo, la naturaleza, la historia, «las leyes que presiden el desenvolvimiento de la materia cósmica...». La alegoría del viaje de la Muerte con su amigo por tierra y cielo, por las esferas celestes, forma uno de los capítulos más fantásticos y bellos del cuento. Maravillosa descripción de los espacios estelares, del «mundo al revés» que hace pensar en descripciones de astronautas poetas. La Muerte, en su viaje, para su carro en Jerusalén «para adorar al Criador del Universo» y en el Monte del Gólgota, tiene lugar uno de sus discursos más reveladores, en donde se recoge toda la tradición cristiana: allí creyó vencer al mismo Dios, pero allí a los tres días se vio «desarmada y anulada». A diversas consideraciones sobre su oficio y alusiones a las Escrituras, sigue la entrada en el Polo Boreal, morada de la Muerte. Un nuevo escenario, alucinante y fantástico, el mundo septentrional que siempre atrajo a Alarcón, se nos presenta; un espacio bañado por una luz extraña, entre «icebergs», por los que la Muerte penetra con Gil y le expone, «con reposado y majestuoso acento», lo que es la Vanidad humana, la vida, lo que son los mortales, lo que es el Amor. Allí viene la extraña confesión: todo ha sido un sueño *en* la Muerte, un sueño antes del Juicio Final, y la Muerte ya ha cumplido su misión con el Criador y con Elena; ella le hizo soñar con la vida:

> «todo lo has soñado en la tumba; *En una sola hora has creído pasar tres días de vida, como en un solo instante habías pasado seiscientos años de muerte*» [116].

---

[116] *Obras completas, El amigo...*, pág. 219.

Este sueño se une a la imagen de otro sueño de concepción unamuniana, como muchos momentos del cuento; este mundo, que está a punto de acabarse, no ha sido más que «un sueño del Criador». Y la Muerte se despide de su Amigo y exclama: «Al fin voy a descansar...» Sólo queda al «formidable ser» un *algo* que lograr para su Amigo: llamar a Elena, para que duerma a su lado «las últimas horas de su muerte». A lo cual contesta el enamorado Gil:

> «...¡sepa que permanecerá a mi lado eternamente, en la Tierra o en el Cielo, y nada me importa la noche del sepulcro!» [117].

Este inmenso amor, que vence muerte y vida, es como antorcha que ilumina todos los caminos: ambos enamorados de la mano llegan triunfadores, «libres para siempre de duelo y penitencia ante el Criador»; «la amiga del hombre» se despide de ellos con un dramático, «¡Hasta nunca!»

A mi entender, es éste uno de los personajes más fuertes, mejor dibujados, más «modernos», no sólo de la novelística alarconiana, sino de toda la finisecular. Corre por todo el cuento un cierto aire de auto sacramental, es un gran canto al Criador y me parece en la *Conclusión,* estar oyendo a los ángeles y arcángeles cantar Hosannas y Aleluyas, mientras los románticos enamorados quedan en el centro de la escena, de rodillas, «salvos y redimidos».

Dos espacios podemos marcar en los que todo el cuento se mueve: uno, que ocupa los once primeros capítulos, real y concreto: portalillo de zapatero en el barrio de las Vistillas de Madrid, palacio de los Monteclaro, y las gradas de la iglesia de San Millán, en la calle de Embajadores. Gil Gil y la Muer-

---

[117] *Obras completas, El amigo...,* pág. 220.

te van al palacio de San Ildefonso, en La Granja, y vuelven al Palacio Real en Madrid. El capítulo VII nos presenta en la cámara real un precioso cuadro de costumbres cortesanas con descripciones inolvidables, como la del virulento niño rey, Luis I, de diecisiete años, con el rostro «espantosamente hinchado y cubierto de cenicientas pústulas», de quien dice Alarcón, con su afición a dar plasticidad a sus personajes, «Parecía un tosco boceto de escultura modelado en barro». Sigue la presentación de cortesanos y del médico Gil Gil y todo ello termina en «un frondosísimo jardín» de una quinta del Guadarrama, donde se han celebrado —se dice, no se describen— los esponsales de Elena y Gil. Este jardín es el último espacio real, concreto, aunque ya presenta un cierto aire de sueño: desde aquí se produce un cambio inquietante y extraño. Los capítulos XII y XIII nos ofrecen una novedad; llevan unas citas, versos de Lord Byron en el capítulo titulado «El sol en el ocaso» y de la Primera Égloga de Garcilaso en el llamado «Eclipse de luna»: son los únicos que van así encabezados. Al capítulo XII corresponde también un evidente aire prerrafaelista y modernista:

> «Allí estaban, sentados en un banco de césped, rodeados de flores y verduras; con un cielo infinito ante los ojos; libres y solitarios como dos gaviotas paradas en medio de los desiertos del Océano sobre un alga mecida por las olas!» [118].

A este cuadro hay que añadir la vestimenta estatuaria de los enamorados y la luz de la luna esplendorosa que ilumina la escena del capítulo XIII, en el que la estampa cobra movimiento y parece que entramos en un mundo a lo Fellini; él «corrió desatentado por el jardín»; ella, aterrorizada (capítulo XIV), «cayó sobre

---

[118] *Obras completas, El amigo...,* pág. 210.

la hierba sin sentido» y la Muerte, como «larga sombra negra, tocaba en el cielo y en la tierra, enlutando casi todo el horizonte». El ritmo se acelera, pero seguimos en ese jardín, donde todo se teatraliza: Gil intenta luchar con la Muerte, coge sus armas y, desesperado ante lo imposible, se deja llevar por ella a su morada, en el fantástico viaje.

Se cambia el escenario (capítulo XV, «El tiempo al revés»), para el mencionado viaje celeste; llegamos a la morada de la negra deidad en el Polo y (capítulo XVI) recordamos las ilustraciones de W. Blake a la *Divina Comedia;* presenta un mundo de hielos, témpanos, luces misteriosas, aristas por doquier, figuras fantasmagóricas, que ha quedado impresionantemente recogido por la hábil y brillante narración y descripción «con ínfulas» cósmicas del joven Pedro Antonio de Alarcón.

La Conclusión, breve, quizá sobrase, pero Alarcón quiere tranquilizar a sus lectores: las culpas del suicida han sido perdonadas; el amor y la voluntad de su amiga, la Muerte, le han salvado: la Tierra puede estallar «como una granada», los enamorados entraron en la *Tierra de Promisión*: el amor ha triunfado.

BIBLIOGRAFÍA SELECTA

Obras completas, con introducción de Luis Martínez Kleiser, Madrid, Fax, 1943.

Otras ediciones más recientes son la de *Obras completas,* de Fax, 3.ª ed., Madrid, 1968; la de la colección «Novelas y Cuentos», con una presentación de Pedro Antonio de Urbina, Madrid, Magisterio Español, 1971; y la publicada en Méjico por Porrúa, núm. 128, de la col. «Sepan cuantos», con prólogo de Juana de Ontañón.

ALAS, LEOPOLDO: «Alarcón», en *Nueva campaña* (1885-1886), Madrid, 1887, págs. 83-87.

— «El testamento de Alarcón», en *Mezclilla,* Madrid, 1889, páginas 335-340.

ATKINSON, W. C.: «Pedro Antonio de Alarcón», *Bulletin of Spanish Studies,* X, 1933.

AZORÍN: «Alarcón», en *Andando y pensando,* Madrid, 1929.

BALSEIRO, J. A.: «Pedro Antonio de Alarcón», en *Novelistas españoles modernos,* Nueva York, 1933, págs. 117-139.

BAQUERO GOYANES, MARIANO: *Pedro Antonio de Alarcón, El escándalo,* Clásicos Castellanos, Madrid, Espasa Calpe, 1973.

BELIC, O.: «*El sombrero de tres picos* como estructura épica», en *Análisis estructural de textos hispanos,* Madrid, ediciones Prensa Española, 1969, págs. 115 a 141.
Española, Madrid, 1969, págs. 115 a 141.

CATALINA, MARIANO: *Biografía de don Pedro Antonio de Alarcón* (incluida en *Obras completas* de Alarcón, Madrid, Fax, 1968).

GAOS, V.: *Técnica y estilo de El sombrero de tres picos,* en Claves de Literatura Española, I, Madrid, Guadarrama, 1971, págs. 383-405.

JIMÉNEZ FRAU, A.: *Juan Valera y la generación de 1868,* Madrid, Taurus, 1973.

KRAPPE, A. H.: «The Source of Pedro Antonio de Alarcón, "El afrancesado"», en *Romanic Review,* XVI, 1925, páginas 54-56.

101

López-Casanova, Arcadio: Pedro Antonio de Alarcón, *El sombrero de tres picos*, Madrid, Cátedra, 1974.

Martínez Kleiser, L.: *Don Pedro Antonio de Alarcón. Un viaje por el interior de su alma y a lo largo de su vida*, Madrid, Victoriano Suárez, 1943 (publicado como prólogo a las *Obras completas* de Alarcón, Madrid, Fax, 1968).

Montesinos, J. F.: *Pedro Antonio de Alarcón*, Zaragoza, Biblioteca del Hispanista, 1955.

— *Sobre* El escándalo *de Alarcón*, en *Ensayos y estudios de Literatura Española* (Edición, prólogo y bibliografía de Joseph H. Silverman), Méjico, De Andrea, 1959.

Ocano, A.: *Alarcón*, Madrid, Epesa, 1970.

Palacio Valdés, A.: «Don Pedro Antonio de Alarcón», en *Los novelistas españoles* (Semblanzas literarias), Madrid, 1878.

Pardo Bazán, E.: *Pedro Antonio de Alarcón, Estudio biográfico*, Madrid, Sáenz de Jubera (¿1891?), y en *Obras completas*.

Pardo Canalís, E.: *Pedro Antonio de Alarcón*, Madrid, Compañía Bibliográfica, 1966.

Revilla, M. de la: *Pedro Antonio de Alarcón*, en *Obras*, Madrid, 1883.

Romano, Julio (seudónimo de Hipólito Rodríguez de la Peña): *Pedro Antonio de Alarcón, el novelista romántico*, Madrid, Espasa-Calpe, 1933.

Soria Ortega, A.: «Ensayo sobre Pedro Antonio de Alarcón y su estilo», *Boletín de la Real Academia Española*, XXXI y XXXII, 1952.

La Comendadora[1]

HISTORIA DE UNA MUJER QUE NO TUVO AMORES

---

[1] *Comendadoras de Santiago.* Véase nota 72.

I

Hará cosa de un siglo que cierta mañana de marzo, a eso de las once, el sol, tan alegre y amoroso en aquel tiempo como hoy que principia la primavera de 1868, y como lo verán nuestros biznietos dentro de otro siglo (si para entonces no se ha acabado el mundo), entraba por los balcones de la sala principal de una gran casa solariega, sita en la Carrera de Darro, de Granada, bañando de esplendorosa luz y grato calor aquel vasto y señorial aposento, animando las ascéticas pinturas que cubrían sus paredes, rejuveneciendo antiguos muebles y descoloridos tapices, y haciendo las veces del ya suprimido brasero para tres personas, a la sazón vivas e importantes, de quienes apenas queda hoy rastro ni memoria...

Sentada cerca de un balcón estaba una venerable anciana, cuyo noble y enérgico rostro, que habría sido muy bello, reflejaba la más austera virtud y un orgullo desmesurado. Seguramente aquella boca no había sonreído nunca, y los duros pliegues de sus labios provenían del hábito de mandar. Su ya trémula cabeza sólo podía haberse inclinado ante los altares. Sus ojos parecían armados del rayo de la Excomunión. A poco que se contemplara a aquella mujer, conocíase que dondequiera que ella imperase no habría más arbitrio que matarla u obedecerla. Y, sin embargo, su gesto no expresaba crueldad ni mala intención, sino estrechez de principios y una intolerancia de conducta incapaz de transigir en nada ni por nadie.

Esta señora vestía saya y jubón [2] de alepín [3] negro de la reina, y cubría la escasez de sus canas con una toquilla de amarillentos encajes flamencos.

Sobre la falda tenía abierto un libro de oraciones, pero sus ojos habían dejado de leer, para fijarse en un niño de seis a siete años, que jugaba y hablaba solo, revolcándose sobre la alfombra en uno de los cuadrilongos de luz de sol que proyectaban los balcones en el suelo de la anchurosa estancia.

Este niño era endeble, pálido, rubio y enfermizo, como los hijos de Felipe IV pintados por Velázquez. En su abultada cabeza se marcaban con vigor la red de sus cárdenas venas y unos grandes ojos azules, muy protuberantes. Como todos los raquíticos aquel muchacho revelaba extraordinaria viveza de imaginación y cierta iracundia provocativa, siempre en acecho de contradicciones que arrostrar.

Vestía, como un hombrecito, medias de seda negra, zapato con hebilla, calzón de raso azul, chupa [4] de lo mismo, muy bordada de otros colores, y luenga casaca de terciopelo negro.

A la sazón se divertía en arrancar las hojas a un hermoso libro de heráldica y en hacerlas menudos pedazos con sus descarnados dedos, acompañando la operación de una charla incoherente, agria, insoportable, cuyo espíritu dominante era decir: «—*Mañana voy a hacer esto.—Hoy no voy a hacer lo otro.—Yo quiero tal cosa.—Yo no quiero tal otra...*», como si su objeto fuese desafiar la intolerancia y las censuras de la terrible anciana.

¡También infundía terror el pobre niño!

Finalmente, en un ángulo del salón (desde donde

---

[2] *jubón*: vestidura ajustada al cuerpo que cubre de los hombros a la cintura.

[3] *alepín*: tela muy fina de lana.

[4] *chupa*: especie de chaleco de cuatro faldillas, con mangas ajustadas, que se ponía debajo de la casaca.

podía ver el cielo, las copas de algunos árboles y los rojizos torreones de la Alhambra, pero donde no podía ser vista sino por las aves que revoloteaban sobre el cauce del río Darro), estaba sentada en un sitial, inmóvil, con la mirada perdida en el infinito azul de la atmósfera y pasando lentamente con los dedos las cuentas de ámbar de larguísimo rosario, una monja, o, por mejor decir, una Comendadora de Santiago, como de treinta años de edad, vestida con las ropas un poco seglares que estas señoras suelen usar en sus celdas.

Consiste entonces su traje en zapatos abotinados de cordobán negro, basquiña [5] y jubón de anascote [6], negros también, y un gran pañuelo blanco, de hilo, sujeto con alfileres sobre los hombros, no en forma triangular, como en el siglo, sino reuniendo por delante los dos picos de un mismo lado y dejando colgar los otros dos por la espalda.

Quedaba, pues, descubierta la parte anterior del jubón de la religiosa, sobre cuyo lado izquierdo campeaba la cruz roja del Santo Apóstol. No llevaba el manto blanco ni la toca, y, gracias a esto último, lucía su negro y abundantísimo pelo, peinado todo hacia arriba y reunido atrás en aquella especie de lazo que las campesinas andaluzas llaman *castaña*.

No obstante las desventajas de tal vestimenta, aquella mujer resultaba todavía hermosísima, o, por mejor decir, su propia belleza tenía mucho que agradecer a semejante desaliño, que dejaba campear más libremente sus naturales gracias.

La Comendadora era alta, recia, esbelta y armónica, como aquella nobilísima cariátide que se admira a la entrada de las galerías de escultura del Vaticano. El ropaje de lana, pegado a su cuerpo, revelaba, más que

---

[5] *basquiña*: saya negra, por lo común, que usaban las mujeres sobre la ropa interior.

[6] *anascote*: tela delgada de lana que usan para sus hábitos varias órdenes religiosas.

cubría, la traza clásica y el correcto primor de sus espléndidas proporciones.

Sus manos, de blancura mate, afiladas, hoyosas, transparentes, se destacaban de un modo hechicero sobre la basquiña negra, recordando aquellas manos de mármol antiguo, labradas por el cincel griego, que se han encontrado en Pompeya antes o después que las estatuas a que pertenecían.

Para completar esta soberana figura, imaginaos un rostro moreno, algo descarnado (o más bien afinado por el buril del sentimiento), de forma oval como el de la Magdalena de Ticiano y bañado de una palidez profunda, que casi amarilleaba, y que hacían mucho más interesante (pues alejaban toda idea de insensibilidad) dos ojeras hondas, lívidas, llenas de misteriosas tristezas, especie de crepúsculo de los enlutados soles de sus ojos.

Aquellos ojos, casi siempre clavados en tierra, sólo se alzaban para mirar al cielo, como si no osaran fijarse en las cosas del mundo. Cuando los bajaba parecía que sus luengas pestañas eran las sombras de la noche eterna, cayendo sobre una vida malograda y sin objeto; cuando los alzaba podía creerse que el corazón se escapaba por ellos en una luminosa nube, para ir a fundirse en el seno del Criador; pero si por casualidad se posaban en cualquier criatura o cosa terrestre, entonces aquellos negrísimos ojos ardían, temblando y vagando despavoridos, cual si los inflamase la calentura o fueran a inundarse de llanto.

Imaginaos también una frente despejada y altiva, unas espesas cejas de sobrio y valiente rasgo, la más correcta y artística nariz y una boca divina, cariñosa, incitante, y formaréis idea de aquella encantadora mujer, que reunía a un mismo tiempo todos los hechizos de la belleza gentil y toda la mística hermosura de las heroínas cristianas.

II

¿Qué familia era ésta que acabamos de resucitar a la luz de aquel sol que se puso hace cien años?

Digámoslo rápidamente.

La señora mayor era la condesa viuda de Santos, la cual, en su matrimonio con el séptimo conde de este título, tuvo dos hijos —un varón y una hembra—, que se quedaron huérfanos de padre en muy temprana edad.

Pero tomemos las cosas de más lejos.

La casa de Santos había alcanzado gran riqueza y poderío en vida del suegro de la Condesa; mas como aquel señor sólo tuvo un hijo, y no existían ramas colaterales, comenzó a temer que pudiera extinguirse su raza, y dispuso en su testamento (al fundar nuevos vínculos con las mercedes que obtuvo de Felipe V durante la guerra de Sucesión): «*Si mi heredero llegare a tener más de un hijo, dividirá el caudal entre los dos mayores, a fin de que mi nombre se propague dignamente en dos ramas con la sangre de mis venas.*»

Ahora bien: aquella cláusula hubiera tenido que cumplirse en sus nietos, o sea en los dos hijos de la severa anciana que acabamos de conocer... Pero fue el caso que ésta, creyendo que el lustre de un apellido se conservaba mucho mejor en una sola y potente rama que en dos vástagos desmedrados, dispuso por sí y ante sí, a fin de conciliar sus ideas con la voluntad del fundador, que su hija renunciase, ya que no a la vida, a todos los bienes de la tierra, tomando el hábito de religiosa, por cuyo medio la casa entera de Santos quedaría siendo exclusivo patrimonio de su otro hijo, quien, por haber nacido primero y ser varón, constituía el orgullo y la delicia de su aristocrática madre.

Fue, pues, encerrada en el convento de Comendadoras de Santiago, cuando apenas tenía ocho años de edad, su infortunada hija, la segundona del conde de Santos, llamada entonces doña Isabel, para que se aclimatase desde luego en la vida monacal, que era su infalible destino.

Allí creció aquella niña, sin respirar más aire que el del claustro, ni ser consultada jamás acerca de sus ideas, hasta que, llegada a la estación de la vida en que todos los seres racionales trazan sobre el campo de la fantasía la senda de su porvenir, tomó el velo de esposa de Jesucristo, con la fría mansedumbre de quien no imagina siquiera el derecho ni la posibilidad de intervenir en sus propias acciones. Decimos más: como doña Isabel no podía comprender en aquel tiempo toda la significación de los votos que acababa de pronunciar (tan ignorante estaba todavía de lo que es el mundo y de lo que encierra el corazón humano), y, en cambio, podía discernir perfectamente (pues también ella pecaba de linajuda) las grandes ventajas que su profesión reportaría al esplendor de su nombre, resultó que se hizo monja con cierta ufanía, ya que no con franco y declarado regocijo.

Pero corrieron los años, y sor Isabel, que se había criado mustia, y endeble, y que al tiempo de su profesión era, si no una niña, una mujer tardía o retrasada, desplegó de pronto la lujosa naturaleza y peregrina hermosura que ya hemos admirado, y cuyos hechizos no valían nada en comparación de la espléndida primavera que floreció simultáneamente en su corazón y en su alma. Desde aquel día la joven Comendadora fue el asombro y el ídolo de la Comunidad y de cuantas personas entraban en aquel convento cuya regla es muy lata, como la de todos los de su Orden. Quién comparaba a sor Isabel con Rebeca, quién con Sara, quién con Ruth, quién con Judith... El que afinaba el órgano la llamaba *Santa Cecilia;* el despensero, *San-*

ta Paula; el sacristán, *Santa Mónica;* es decir, que le atribuían juntamente mucho parecido con santas solteras, viudas y casadas...

Sor Isabel registró más de una vez la Biblia y el *Flos Sanctorum* para leer la historia de aquellas heroínas, de aquellas reinas, de aquellas esposas, de aquellas madres de familia con quienes se veía comparada, y, por resultas de tales estudios, el engreimiento, la ambición, la curiosidad de mayor vida germinaron en su imaginación con tanto ímpetu, que su director espiritual se vio precisado a decirle muy severamente que «el rumbo que tomaban sus ideas y sus afectos era el más a propósito para ir a parar en la condenación eterna».

La reacción que se operó en sor Isabel al escuchar estas palabras fue instantánea, absoluta, definitiva. Desde aquel día nadie vio en la joven más que una altiva ricahembra, infatuada de su estirpe, y una virgen del Señor, devota, mística, fervorosa hasta el éxtasis y el delirio, la cual incurría en tales exageraciones de mortificación y entraba en escrúpulos tan sutiles, que la Superiora y su propia madre tuvieron que amonestarla muchas veces, y aun el mismo confesor se veía obligado a tranquilizarla, además de no tener de qué absolverla.

¿Qué era, en tanto, del corazón y del alma de la Comendadora, de aquel corazón y de aquella alma cuya súbita eflorescencia fue tan exuberante?

No se sabe a punto fijo.

Sólo consta que, pasados cinco años (durante los cuales su hermano se casó, y tuvo un hijo, y enviudó), sor Isabel, más hermosa que nunca, pero lánguida como una azucena que se agosta, fue trasladada del convento a su casa, por consejo de los médicos y merced al gran valimiento de su madre, a fin de que respirase allí los salutíferos aires de la Carrera de Darro, único remedio que se encontró para la misteriosa dolencia que aniquilaba su vida. —A esta dolencia le llamaron unos *excesivo celo religioso,* y otros *melancolía negra*: lo cierto es que no podían clasificarla entre las enfermedades físicas sino por sus resultados, que eran una extrema languidez y una continua propensión al llanto.

La traslación a su casa le volvió la salud y las fuerzas, ya que no la alegría; pero como por entonces ocurriera la muerte de su hermano Alfonso, de quien sólo quedó un niño de tres años, alcanzóse que la Comendadora continuase indefinidamente con su casa por clausura, a fin de que acompañara a su anciana madre y cuidase a su tierno sobrino, único y universal heredero del Condado de Santos.

Con lo cual sabemos ya también quién era el rapazuelo que estaba rompiendo el libro de heráldica sobre la alfombra, y sólo nos resta decir, aunque esto se adivinará fácilmente, que aquel niño era el alma, la vida, el amor y el orgullo, a la par que el feroz tirano de su abuela y de su tía, las cuales veían en él, no sólo una persona determinada, sino la única esperanza de propagación de su estirpe.

III

Volvamos ahora a contemplar a nuestros tres personajes, ya que los conocemos interior y exteriormente.

El niño se levantó de pronto, tiró los restos del libro, y se marchó de la sala, cantando a voces, sin duda en busca de otro objeto que romper, y las dos señoras siguieron sentadas donde mismo las dejamos hace poco; sólo que la anciana volvió a su interrumpida lectura, y la Comendadora dejó de pasar las cuentas del rosario.

¿En qué pensaba la Comendadora?

¡Quién sabe!...

112

La primavera había principiado...

Algunos canarios y ruiseñores, enjaulados y colgados a la parte afuera de los balcones de aquel aposento, mantenían no sé qué diálogos con los pajarillos de ambos sexos que moraban libres y dichosos en las arboledas de la Alhambra, a los cuales referían tal vez aquellos míseros cautivos tristezas y aburrimientos propios de toda vida sin amor...

Las macetas de alelíes, mahonesas [7] y jacintos que adornaban los balcones, empezaban a florecer, en señal de que la Naturaleza volvía a sentirse madre...

El aire, embalsamado y tibio, parecía convidar a los enamorados de las ciudades con la afable soledad de las campiñas o con el dulce misterio de los bosques, donde podrían mirarse libremente y referirse sus más ocultos pensamientos...

Sonaban, por lo demás, en la calle los pasos de gentes que iban y venían a merced de los varios afanes de la existencia; gentes que siempre son consideradas venturosas y muy dignas de envidia por aquellos que las vislumbran desde la picota de sus propios dolores...

A veces se oía alguna copla de fandango, con que aludía a sus domingueras aventuras tal o cual fámula de la vecindad, o con que el aprendiz del próximo taller mataba el tiempo, mientras llegaba la infalible *noche* y con ella la concertada *cita*...

Percibíanse, además, en filosófico concierto, los perpetuos arrullos del agua del río, el confuso rumor de la capital, el compasado golpe de una péndola que en el salón había, y el remoto clamor de unas campanas que lo mismo podían estar tocando a fiesta que a entierro, a bautizo de recién nacido que a profesión de otra Comendadora de Santiago...

Todo esto, y aquel sol que volvía en busca de

---

[7] *mahonesas*: planta de la familia de las crucíferas, con abundantes y pequeñas flores moradas.

nuestra aterida zona, y aquel pedazo de firmamento azul en que se perdían la vista y el espíritu, y aquellas torres de la Alhambra, llenas de románticos y voluptuosos recuerdos, y los árboles que florecían a su pie como cuando Granada era sarracena...; todo, todo debía de pesar de un modo horrible sobre el alma de aquella mujer de treinta años, cuya vida anterior había sido igual a su vida presente, y cuya existencia futura no podía ser ya más de una lenta y continua repetición de tan melancólicos instantes...

... ...

La vuelta del niño a la sala sacó a la Comendadora de su abstracción e hizo interrumpir otra vez a la condesa su lectura.

—¡Abuela! —gritó el rapaz con destemplado acento—. El italiano que está componiendo el escudo de piedra de la escalera acaba de decirle una cosa muy graciosa al viejo de Madrid que pinta los techos. ¡Yo la he oído, sin que ellos me vieran a mí, y como yo entiendo ya el español chapurrado que habla el escultor con el pintor, me he enterado perfectamente! ¡Si supieras lo que le ha dicho!

—Carlos... —respondió la anciana con la blandura equívoca de la cobardía—: os tengo recomendado que no os acerquéis nunca a esa clase de gentes. ¡Acordaos de que sois el conde de Santos!

—¡Pues quiero acercarme! —replicó el niño—. ¡A mí me gustan mucho los pintores y los escultores, y ahora mismo me voy otra vez con ellos!...

—Carlos... —murmuró dulcemente la Comendadora—. Estáis hablando con la madre de vuestro padre. Respetadla como él la respetaba y yo la respeto...

El niño se echó a reír, y prosiguió:

—Pues verás, tía, lo que decía el escultor... ¡Porque era de ti de quien hablaba!...

—¿De mí?

114

—¡Callad , Carlos! —exclamó la anciana severamente.

El niño siguió en el mismo tono y con el mismo diabólico gesto:

—El escultor le decía al pintor: «*Compañero, ¡qué hermosa debe de estar desnuda la Comendadora! ¡Será una estatua griega!*» ¿Qué es una estatua griega, tía Isabel?

Sor Isabel se puso lívida, clavó los ojos en el suelo y empezó a rezar.

La condesa se levantó, cogió al conde por un brazo y le dijo con reprimida cólera:

—¡Los niños no oyen esas cosas ni las dicen! Ahora mismo se irá el escultor a la calle. En cuanto a vos, ya os dirá el padre capellán el pecado que habéis cometido y os impondrá la debida penitencia...

—¿A mí? —dijo Carlos—. ¿El señor cura? ¡Soy yo más valiente que él y lo echaré a la calle, mientras que el escultor se quedará en casa! ¡Tía! —continuó el niño, dirigindose a la Comendadora—, yo quiero verte desnuda...

—¡Jesús! —gritó la abuela, tapándose el rostro con las manos.

Sor Isabel no pestañeó siquiera.

—¡Sí, señora! ¡Quiero ver desnuda a mi tía! —repitió el niño, encarándose con la anciana.

—¡Insolente! —gritó ésta, levantando la mano sobre su nieto.

Ante aquel ademán, el niño se puso encarnado como la grana, y, pateando de furor, en actitud de arremeter contra la condesa, exclamó nuevamente con sordo acento:

—¡He dicho que quiero ver desnuda a mi tía! ¡Pégame, si eres capaz!

La Comendadora se levantó con aire desdeñoso, y se dirigió hacia la puerta, sin hacer caso alguno del niño.

Carlos dio un salto, se interpuso en su camino y repitió su tremenda frase con voz y gesto de verdadera locura.

Sor Isabel continuó marchando.

El niño forcejeó por detenerla, no pudo lograrlo y cayó al suelo, presa de violentísima convulsión.

La abuela dio un grito de muerte, que hizo volver la cabeza a la religiosa.

Ésta se detuvo espantada al ver a su sobrino en tierra, con los ojos en blanco, echando espumarajos por la boca y tartamudeando ferozmente:

—¡Ver desnuda a mi tía!...

—¡Satanás!... —balbuceó la Comendadora, mirando de hito en hito a su madre.

El niño se revolcó en el suelo como una serpiente, púsose morado, volvió a llamar a su tía y luego quedó inmóvil, agarrotado, sin respiración.

—¡El heredero de los Santos se muere! —gritó la abuela con indescriptible terror—. ¡Agua! ¡Agua! ¡Un médico!

Los criados acudieron, y trajeron agua y vinagre.

La condesa roció la cara del niño con una y otra cosa; dióle muchos besos; llamóle *ángel;* lloró, rezó, hízole oler vinagre solo... Pero todo fue completamente inútil. El niño se estremecía a veces como los energúmenos, abría unos ojos extraviados y sin vista, que daban miedo, y volvía a quedarse inmóvil.

La Comendadora seguía parada en medio de la estancia en actitud de irse, pero con la cabeza vuelta atrás, mirando atentamente al hijo de su hermano

Al fin pudo éste dejar escapar un soplo de aliento y algunas vagas palabras por entre sus dientes apretados y rechinantes...

Aquellas palabras fueron...

—Desnuda... mi tía...

La Comendadora levantó las manos al cielo y prosiguió su camino.

116

La abuela, temiendo que los criados comprendiesen lo que decía el niño, gritó con imperio:

—¡Fuera todo el mundo! Vos, Isabel, quedaos.

Los criados obedecieron llenos de asombro.

La Comendadora cayó de rodillas.

—¡Hijo mío!... ¡Carlos!... ¡Hermoso! —gimió la anciana, abrazando lo que parecía ya el cadáver de su nieto—. ¡Llora!... ¡Llora!... ¡No te enfades!... ¡Será lo que tú quieras!

—¡Desnuda! —dijo Carlos en un ronquido semejante al estertor del que agoniza.

—¡Señora!... —exclamó la abuela, mirando a su hija de un modo indefinible—, el heredero de los Santos se muere, y con él concluye nuestra casa.

La Comendadora tembló de pies a cabeza. Tan aristócrata como su madre y tan piadosa y casta como ella, comprendía toda la enormidad de la situación.

En esto, Carlos se recobró un poco, vio a las dos mujeres, trató de levantarse, dio un grito de furor y volvió a caer con otro ataque aún más terrible que el primero.

—¡Ver desnuda a mi tía! —había rugido antes de perder nuevamente el movimiento.

Y quedó con los puños crispados en ademán amenazador.

La anciana se santiguó; cogió el libro de oraciones y dirigiéndose hacia la puerta, dijo al paso a la Comendadora, después de alzar una mano al cielo con dolorosa solemnidad:

—Señora..., ¡Dios lo quiere!

Y salió, cerrando la puerta detrás de sí.

IV

Media hora después, el conde de Santos entró en el cuarto de su abuela, hipando, riendo y comiéndose un

117

dulce —que todavía mojaban algunas gotas del pasado llanto—, y sin mirar a la anciana, pero dándole con el codo, díjole en son ronco y salvaje:

—¡Vaya si está gorda... mi tía!

La condesa, que rezaba arrodillada en un antiguo reclinatorio, dejó caer la frente sobre el libro de oraciones, y no contestó ni una palabra.

El niño se marchó en busca del escultor, y lo encontró rodeado de algunos Familiares del Santo Oficio, que le mostraban una orden para que los siguiese a las cárceles de la Inquisición, *«como pagano y blasfemo,* según denuncia hecha por la señora condesa de Santos».

Carlos, a pesar de toda su audacia, se sobrecogió a la vista de los esbirros del formidable Tribunal, y no dijo ni intentó cosa alguna.

V

Al oscurecer se dirigió la condesa al cuarto de su hija, antes de que encendiesen luces, pues no quería verla, aunque deseaba consolarla, y se encontró con la siguiente carta, que le entregó la camarera de sor Isabel:

«Mi muy amada madre y señora:

Perdonadme el primer paso que doy en mi vida sin tomar antes vuestra venia; pero el corazón me dice que no lo desaprobaréis.

Regreso al convento, de donde nunca debí salir y de donde no volveré a salir jamás. Me voy sin despedirme de vos, por ahorraros nuevos sufrimientos.

Dios os tenga en su santa guarda y sea misericordioso con vuestra amantísima hija

Sor Isabel de los Ángeles.»

118

No había acabado la anciana de leer aquellos tristísimos renglones, cuando oyó rodar un carruaje en el patio de la casa y alejarse luego hacia la plaza Nueva...

Era la carroza en que se marchaba la Comendadora.

VI

Cuatro años después, las campanas del convento de Santiago doblaron por el alma de sor Isabel de los Ángeles, mientras que su cuerpo era restituido a la madre tierra.

La condesa murió también al poco tiempo.

El conde Carlos pereció sin descendencia, al cabo de quince o veinte años, en la conquista de Menorca, extinguiéndose con él la noble estirpe de los condes de Santos.

1868.

El Clavo

CAUSA CÉLEBRE

I

EL NÚMERO 1

Lo que más ardientemente desea todo el que pone el pie en el estribo de una diligencia para emprender un largo viaje, es que los compañeros de *departamento* que le toquen en suerte sean de amena conversación y tengan sus mismos gustos, sus mismos vicios, pocas impertinencias, buena educación y una franqueza que no raye en familiaridad.

Porque, como ya han dicho y demostrado Larra, Kock, Soulié [1] y otros escritores de costumbres, es asunto muy serio esa improvisada e íntima reunión de dos o más personas que nunca se han visto, ni quizá han de volver a verse sobre la tierra, y destinadas, sin embargo, por un capricho del azar, a codearse dos o tres días, a almorzar, comer y cenar juntas, a dormir una encima de otra, a manifestarse, en fin, recíprocamente con ese abandono y confianza que no concedemos ni aun a nuestros mayores amigos; esto es, con los hábitos y flaquezas de *casa* y de familia.

Al abrir la portezuela acuden tumultuosos temores

---

[1] Larra, Mariano José (1809-1837), famoso costumbrista y ensayista español.

Kock, Charles Paul de (1793-1871). Novelista francés, famoso como pintor de costumbres parisinas; muy de moda en la primera mitad del siglo XIX.

Soulié, Frédéric (1800-1847). Novelista francés de gran imaginación, popular en España a mediados de siglo.

a la imaginación. Una vieja con asma, un fumador de mal tabaco, una fea que no tolere el humo del bueno, una nodriza que se maree de ir en carruaje, angelitos que lloren y demás, un hombre grave que ronque, una venerable matrona que ocupe asiento y medio, un inglés que no hable el español (supongo que vosotros no habláis el inglés), tales son, entre otros, los tipos que teméis encontrar.

Alguna vez acariciáis la dulce esperanza de hallaros con una hermosa compañera de viaje; por ejemplo, con una viudita de veinte a treinta años (y aun de treinta y seis) con quien sobrellevar a medias las molestias del camino; pero no bien os ha sonreído esta idea, cuando os apresuráis a desecharla melancólicamente, considerando que tal ventura sería demasiada para un simple mortal en este valle de lágrimas y despropósitos.

Con tan amargos recelos ponía yo el pie en el estribo de la berlina de la diligencia de Granada a Málaga, a las once menos cinco minutos de una noche del otoño de 1844; noche oscura y tempestuosa, por más señas.

Al penetrar en el coche, con el billete *número 2* en el bolsillo, mi primer pensamiento fue saludar a aquel incógnito *número 1* que me traía inquieto antes de serme conocido.

Es de advertir que el tercer asiento de la berlina no estaba tomado, según confesión del mayoral en jefe.

—¡Buenas noches! —dije, no bien me senté, enfilando la voz hacia el rincón en que suponía a mi compañero de jaula.

Un silencio tan profundo como la oscuridad reinante siguió a mis *buenas noches*.

«¡Diantre! —pensé—. ¿Si será sordo..., o sorda, mi epiceno cofrade?»

Y alzando más la voz, repetí:

124

—¡Buenas noches!

Igual silencio sucedió a mi segunda salutación.

«¿Si será mudo?» —me dije entonces.

A todo esto, la diligencia había echado a andar, digo, a correr, arrastrada por diez briosos caballos.

Mi perplejidad subía de punto.

—¿Con quién iba? ¿Con un varón? ¿Con una hembra? ¿Con una vieja? ¿Con una joven? ¿Quién, quién era aquel silencioso *número 1?*

Y, fuera quien fuese, ¿por qué callaba? ¿Por qué no respondía a mi saludo? ¿Estaría ebrio? ¿Se habría dormido? ¿Se habría muerto? ¿Sería un ladrón?...

Era cosa de encender luz. Pero yo no fumaba entonces, y no tenía fósforos.

¿Qué hacer?

Por aquí iba en mis reflexiones, cuando se me ocurrió apelar al sentido del tacto, pues que tan ineficaces eran el de la vista y el del oído...

Con más tiento, pues, que emplea un pobre diablo para robarnos el pañuelo en la Puerta del Sol, extendí la mano derecha hacia aquel ángulo del coche.

Mi dorado deseo era tropezar con una falda de seda, o de lana, y aun de percal...

Avancé, pues...

—¡Nada!

Avancé más; extendí todo el brazo... ¡Nada!

Avancé de nuevo; palpé con entera resolución en un lado, en otro, en los cuatro rincones, debajo de los asientos, en las correas del techo...

¡Nada..., nada!

En este momento brilló un relámpago (ya he dicho que había tempestad), y a su luz sulfúrea vi... ¡que iba completamente solo!

Solté una carcajada, burlándome de mí mismo, y precisamente en aquel instante se detuvo la diligencia.

Estábamos en el primer relevo.

Ya me disponía a preguntarle al mayoral por el viajero que faltaba, cuando se abrió la portezuela, y, a la luz de un farol que llevaba el zagal, vi... ¡Me pareció un sueño lo que vi!

Vi poner el pie en el estribo de la berlina (¡de mi departamento!) a una hermosísima mujer, joven, elegante, pálida, sola, vestida de luto...

Era el *número 1;* era mi antes epiceno compañero de viaje; era la viuda de mis esperanzas; era la realización del sueño que apenas había osado concebir; era el *non plus ultra* de mis ilusiones de viajero... ¡Era *ella!*

Quiero decir: había de ser *ella* con el tiempo.

II

ESCARAMUZAS

Luego que hube dado la mano a la desconocida para ayudarla a subir, y que ella tomó asiento a mi lado, murmurando un «*Gracias... Buenas noches...*» que me llegó al corazón, ocurrióseme esta idea tristísima y desgarradora:

—¡De aquí a Málaga sólo hay dieciocho leguas! ¡Que no fuéramos a la península de Kamtchatka! [2].

Entre tanto, se cerró la portezuela y quedamos a oscuras.

Esto significaba ¡*no verla!*

Yo pedía relámpagos al cielo, como el Alfonso Munio de la señora Avellaneda [3], cuando dice:

¡Horrible tempestad, mándame un rayo!

---

[2] *Kamtchatka,* península de la Siberia oriental

[3] Avellaneda, Gertrudis Gómez de (1816-1873). Ilustre poetisa y escritora cubana, también autora de algunas novelas y dramas, entre éstos, *Alfonso Munio* (1844).

Pero, ¡oh, dolor!, la tormenta se retiraba ya hacia el Mediodía.

Y no era lo peor *no verla,* sino que el aire severo y triste de la gentil señora me había impuesto de tal modo, que no me atrevía a cosa ninguna...

Sin embargo, pasados algunos minutos, le hice aquellas primeras preguntas y observaciones *de cajón,* que establecen poco a poco cierta intimidad entre los viajeros:

—¿Va usted bien?

—¿Se dirige usted a Málaga?

—¿Le ha gustado a usted la Alhambra?

—¿Viene usted de Granada?

—¡Está la noche húmeda!

A lo que respondió ella:

—Gracias.

—Sí.

—No, señor.

—¡Oh!

—¡Pchis!

Seguramente, mi compañera de viaje tenía poca gana de conversación.

Dediqueme, pues, a coordinar mejores preguntas, y, viendo que no se me ocurrían, me puse a reflexionar.

¿Por qué había subido aquella mujer en el primer relevo de tiro, y no desde Granada?

¿Por qué iba sola?

¿Era casada?

¿Era viuda?

¿Era...?

¿Y su tristeza? *Qua de causa?*

Sin ser indiscreto no podía hallar la solución de estas cuestiones, y la viajera me gustaba demasiado para que yo corriese el riesgo de parecerle un hombre vulgar dirigiéndole necias preguntas.

¡Cómo deseaba que amaneciera!

De día se habla con justificada libertad..., mientras que la conversación a oscuras tiene algo de tacto, va derecha al bulto, es un abuso de confianza...

La desconocida no durmió en toda la noche, según deduje de su respiración y de los suspiros que lanzaba de cuando en cuando...

Creo inútil decir que yo tampoco pude coger el sueño.

—¿Está usted indispuesta? —le pregunté una de las veces que se quejó.

—No, señor; gracias. Ruego a usted que se duerma descuidado... —respondió con seria afabilidad.

—¡Dormirme! —exclamé.

Luego añadí:

—Creí que padecía usted...

—¡Oh!, no..., no padezco —murmuró blandamente, pero con un acento en que llegué a percibir cierta amargura.

El resto de la noche no dio de sí más que breves diálogos como el anterior.

Amaneció, al fin...

¡Qué hermosa era!

Pero, ¡qué sello de dolor sobre su frente! ¡Qué lúgubre oscuridad en sus bellos ojos! ¡Qué trágica expresión en todo su semblante! Algo muy triste había en el fondo de su alma.

Y, sin embargo, no era una de aquellas mujeres excepcionales, extravagantes, de corte romántico, que viven fuera del mundo devorando algún pesar o representando alguna tragedia...

Era una mujer a la moda, una elegante mujer, de porte distinguido, cuya menor palabra dejaba traslucir una de esas reinas de la conversación y del buen gusto, que tienen por trono una butaca de su gabinete, una carretela en el Prado o un palco en la Ópera; pero que callan fuera de su elemento, o sea fuera del círculo de sus iguales.

Con la llegada del día se alegró algo la encantadora viajera, y ya consistiese en que mi circunspección
de toda la noche y la gravedad de mi fisonomía le
inspirasen buena idea de mi persona, ya en que quisiera recompensar al hombre a quien no había dejado dormir, fue el caso que inició a su vez las cuestiones de ordenanza:

—¿Dónde va usted?

—¡Va a hacer un buen día!

—¡Qué hermoso paisaje!

A lo que yo contesté más extensamente que ella
me había contestado a mí.

Almorzamos en Colmenar.

Los viajeros del *interior* y de la *rotonda* eran personas poco tratables.

Mi compañera se redujo a hablar conmigo.

Excusado, es decir, que yo estuve enteramente con-
sagrado a ella y que la atendí en la mesa como a una
persona real.

De vuelta en el coche, nos tratábamos ya con alguna confianza.

En la mesa habíamos hablado de Madrid, y hablar
bien de Madrid a una madrileña que se halla lejos
de la corte, es la mejor de las recomendaciones.

¡Porque nada es tan seductor como Madrid perdido!

«¡Ahora o nunca, Felipe! —me dije entonces—.
Quedan ocho leguas... Abordemos la cuestión amorosa...»

III

CATÁSTROFE

¡Desventurado! No bien dije una palabra galante
a la beldad, conocí que había puesto el dedo sobre
una herida...

En el momento perdí todo lo que había ganado en su opinión.

Así me lo dijo una mirada indefinible que cortó la voz de mis labios.

—Gracias, señor, gracias —me dijo luego, al ver que cambiaba de conversación.

—¿He enojado a usted, señora?

—Sí; el amor me horroriza. ¡Qué triste es inspirar lo que no se siente! ¿Qué haría yo para no agradar a nadie?

—¡Algo es menester que usted haga, si no se complace en el daño ajeno!... —repuse muy seriamente—. La prueba es que aquí me tiene pesaroso de haberla conocido... ¡Ya que no feliz, por lo menos yo vivía ayer en paz..., y ya soy desgraciado, puesto que la amo a usted sin esperanza!

—Le queda a usted una satisfacción, amigo mío... —replicó ella sonriendo.

—¿Cuál?

—Que si no acojo su amor, no es por ser suyo, sino porque es amor. Puede usted, pues, estar seguro de que ni hoy, ni mañana, ni nunca... obtendrá otro hombre la correspondencia que le niego. ¡Yo no amaré jamás a nadie!

—Pero, ¿por qué, señora?

—¡Porque el corazón no quiere, porque no puede, porque no debe luchar más! ¡Porque he amado hasta el delirio..., y he sido engañada! En fin, ¡porque aborrezco el amor!

¡Magnífico discurso! Yo no estaba enamorado de aquella mujer. Inspirábame curiosidad y deseo, por lo distinguida y por lo bella; pero de esto a una pasión había todavía mucha distancia.

Así, pues, al escuchar aquellas dolorosas y terminantes palabras, dejó la contienda mi corazón de hombre y entró en ejercicio mi imaginación de artista. Quiere esto decir que comencé a hablar a la desco-

130

nocida un lenguaje filosófico y moral del mejor gusto, con el que logré reconquistar su confianza, o sea, que me dijese algunas otras generalidades melancólicas del género Balzac.

Así llegamos a Málaga.

Era el instante más oportuno para saber el nombre de aquella singularísima señora.

Al despedirme de ella en la Administración, le dije cómo me llamaba, la casa donde iba a parar y mis señas en Madrid.

Ella me contestó con un tono que nunca olvidaré:

—Doy a usted mil gracias por las amables atenciones que le he merecido durante el viaje, y le suplico que me dispense si le oculto mi nombre, en vez de darle uno fingido, que es con el que aparezco en la *hoja*.

—¡Ah! —respondí—. ¡Luego nunca volveremos a vernos!

—¡Nunca!..., lo cual no debe pesarle.

Dicho esto, la joven sonrió sin alegría, tendióme una mano con exquisita gracia, y murmuró:

—Pida usted a Dios por mí.

Yo estreché su mano linda y delicada, y terminé con un saludo aquella escena, que empezaba a hacerme mucho daño.

En esto llegó un elegante coche al parador.

Un lacayo con librea negra avisó a la desconocida.

Subió ella al carruaje; saludóme de nuevo, y desapareció por la Puerta del Mar.

... ...

Dos meses después volví a encontrarla.

Sepamos dónde.

IV

A las dos de la tarde del 1.º de noviembre de aquel mismo año caminaba yo sobre un mal rocín de alquiler por el arrecife que conduce a***, villa importante y cabeza de partido de la provincia de Córdoba.

Mi criado y el equipaje iban en otro rocín mucho peor.

Dirigíame a*** con objeto de arrendar unas tierras y permanecer tres o cuatro semanas en casa del Juez de Primera instancia, íntimo amigo mío, a quien conocí en la Universidad de Granada cuando ambos estudiábamos Jurisprudencia, y donde simpatizamos, contrajimos estrecha amistad y fuimos inseparables. Después no nos habíamos visto en siete años.

Según iba aproximándome a la población término de mi viaje, llegaba más distintamente a mis oídos el melancólico clamoreo de muchas campanas que tocaban a muerto.

Maldita la gracia que me hizo tan lúgubre coincidencia...

Sin embargo, aquel *doble* no tenía nada de casual y yo debí contar con él, en atención a ser víspera del día de Difuntos.

Llegué, con todo, muy de mal humor a los brazos de mi amigo, que me aguardaba en las afueras del pueblo.

Él advirtió al momento mi preocupación, y después de los primeros saludos:

—¿Qué tienes? —me dijo, dándome el brazo, en tanto que sus criados y el mío se alejaban con las cabalgaduras.

—Hombre, seré franco... —le contesté—. Nunca he merecido, ni pienso merecer, que me eleven arcos de triunfo; nunca he experimentado ese inmenso júbilo que llenará el corazón de un grande hombre en el momento que un pueblo alborozado sale a recibirlo, mientras que las campanas repican a vuelo; pero...

—¿Adónde vas a parar?

—A la segunda parte de mi discurso. Y es: que si en este pueblo no he experimentado los honores de la entrada triunfal, acabo de ser objeto de otros muy parecidos, aunque enteramente opuestos. ¡Confiesa, oh juez de palo, que esos clamores funerales que solemnizan mi entrada en*** hubieran contristado al hombre más jovial del universo!

—¡Bravo, Felipe! —replicó el juez, a quien llamaremos Joaquín Zarco—. ¡Vienes muy a mi gusto! Esa melancolía cuadra perfectamente a mi tristeza...

—¡Tú triste!... ¿De cuándo acá?

Joaquín se encogió de hombros, y no sin trabajo retuvo un gemido...

Cuando dos amigos que se quieren de verdad vuelven a verse después de larga separación, parece como que resucitan todas las penas que no han llorado juntos.

Yo me hice el desentendido por el momento, y hablé a Zarco de cosas indiferentes.

En esto penetramos en su elegante casa.

—¡Diantre, amigo mío! —no pude menos de exclamar—. ¡Vives muy bien alojado!... ¡Qué orden, qué gusto en todo! ¡Necio de mí!... Ya caigo... Te habrás casado...

—No me he casado... —respondió el juez con la voz un poco turbada—. ¡No me he casado, ni me casaré nunca!...

—Que no te has casado, lo creo, supuesto que no me lo has escrito... ¡Y la cosa valía la pena de ser contada! Pero eso de que no te casarás nunca, no me parece tan fácil ni tan creíble.

—¡Pues te lo juro! —replicó Zarco solemnemente.

—¡Qué rara metamorfosis! —repuse yo—. Tú, tan partidario siempre del séptimo sacramento; tú, que hace dos años me escribías aconsejándome que me casara, ¡salir ahora con esa novedad!... Amigo mío, ¡a ti te ha sucedido algo, y algo muy penoso!

—¿A mí? —dijo Zarco estremeciéndose.

—¡A ti! —proseguí yo—. ¡Y vas a contármelo! Tú vives aquí solo, encerrado en la grave circunspección que exige tu destino, sin un amigo a quien referir tus debilidades de mortal... Pues bien; cuéntamelo todo, y veamos si puedo servirte de algo.

El juez me estrechó las manos diciendo:

—Sí..., sí... ¡Lo sabrás todo, amigo mío! ¡Soy muy desventurado!

Luego se serenó un poco, y añadió secamente:

—Vístete. Hoy va todo el pueblo a visitar el cementerio y parecería mal que yo faltase. Vendrás conmigo. La tarde está buena y te conviene andar a pie para descansar del trote del rocín. El cementerio se halla situado en medio de un hermoso campo, y no te disgustará el paseo. Por el camino te contaré la historia que ha acibarado mi existencia, y verás si tengo o no tengo motivos para renegar de las mujeres.

Una hora después caminábamos Zarco y yo en dirección al cementerio.

Mi pobre amigo me habló de esta manera:

134

V

MEMORIAS DE UN JUEZ DE PRIMERA INSTANCIA

I

Hace dos años que, estando de Promotor fiscal en***, obtuve licencia para pasar un mes en Sevilla.

En la fonda en que me hospedé vivía hacía algunas semanas cierta elegante y hermosísima joven, que pasaba por viuda, cuya procedencia, así como el objeto que la retenía en Sevilla, eran un misterio para los demás huéspedes.

Su soledad, su lujo, su falta de relaciones y el aire de tristeza que la envolvía, daban pie a mil conjeturas; todo lo cual, unido a su incomparable belleza y a la inspiración y gusto con que tocaba el piano y cantaba, no tardó en despertar en mi alma una invencible inclinación hacia aquella mujer.

Sus habitaciones estaban exactamente encima de las mías; de modo que la oía cantar y tocar, ir y venir, y hasta conocía cuándo se acostaba, cuándo se levantaba y cuándo pasaba la noche en vela —cosa muy frecuente—. Aunque en lugar de comer en la mesa redonda se hacía servir en su cuarto, y no iba nunca al teatro, tuve ocasión de saludarla varias veces, ora en la escalera, ora en alguna tienda, ora de balcón a balcón, y al poco tiempo los dos estábamos seguros del placer con que nos veíamos.

Tú lo sabes. Yo era grave, aunque no triste, y esta circunspección mía cuadraba perfectamente a la retraída existencia de aquella mujer; pues ni nunca la dirigí la palabra, ni procuré visitarla en su cuarto, ni la perseguí con enojosa curiosidad como otros habitantes de la fonda.

Este respeto a su melancolía debió de halagar su orgullo de paciente; dígolo, porque no tardó en mirarme con cierta deferencia, cual si ya nos hubiésemos revelado el uno al otro.

Quince días habían transcurrido de esta manera, cuando la fatalidad…, nada más que la fatalidad…, me introdujo una noche en el cuarto de la desconocida.

Como nuestras habitaciones ocupaban idéntica situación en el edificio, salvo el estar en pisos diferentes, eran sus entradas iguales. Dicha noche, pues, al volver del teatro, subí distraído más escaleras de las que debía, y abrí la puerta de su cuarto creyendo que era la del mío.

La hermosa estaba leyendo, y se sobresaltó al verme. Yo me aturdí de tal modo, que apenas pude disculparme, pero mi misma turbación y la prisa con que intenté irme, la convencieron de que aquella equivocación no era una farsa. Retúvome, pues, con exquisita amabilidad «*para demostrarme* —dijo— *que creía en mi buena fe y que no estaba incomodada conmigo*», acabando por suplicarme que me *equivocara otra vez deliberadamente,* pues no podía tolerar que una persona de mis condiciones de carácter pasase las noches en el balcón, oyéndola cantar —*como ella me había visto*—, cuando *su pobre habilidad se honraría con que yo le prestase atención más de cerca.*

A pesar de todo creí de mi deber no tomar asiento en aquella noche, y salí.

Pasaron tres días, durante los cuales tampoco me atreví a aprovechar el amable ofrecimiento de la bella cantora, aun a riesgo de pasar por descortés a sus ojos. ¡Y era que estaba perdidamente enamorado de ella; era que conocía que en unos amores con aquella mujer no podía haber término medio, sino delirio de dolor o delirio de ventura; era que le temía, en fin, a la atmósfera de tristeza que la rodeaba!

Sin embargo, después de aquellos tres días, subí al piso segundo.

Permanecí allí toda la velada: la joven me dijo llamarse *Blanca* y ser madrileña y viuda: tocó el piano, cantó, hízome mil preguntas acerca de mi persona, profesión, estado, familia, etc., y todas sus palabras y observaciones me complacieron y enajenaron... Mi alma fue desde aquella noche esclava de la suya.

A la noche siguiente volví, y a la otra noche también, y después todas las noches y todos los días.

Nos amábamos, y ni una palabra de amor nos habíamos dicho.

Pero, hablando del amor habíale yo encarecido varias veces la importancia que daba a este sentimiento, la vehemencia de mis ideas y pasiones, y todo lo que necesitaba mi corazón para ser feliz.

Ella, por su parte, me había manifestado que pensaba del mismo modo.

—Yo —dijo una noche— me casé sin amor a mi marido. Poco tiempo después... lo odiaba. Hoy ha muerto. ¡Sólo Dios sabe cuánto he sufrido! Yo comprendo el amor de esta suerte: es la gloria o es el infierno. Y para mí, hasta ahora, ¡siempre ha sido el infierno!

Aquella noche no dormí.

La pasé analizando las últimas palabras de Blanca.

¡Qué superstición la mía! Aquella mujer me daba miedo. ¿Llegaríamos a ser, yo su *gloria* y ella mi *infierno?*

Entre tanto, expiraba el mes de licencia.

Podía pedir otro pretextando una enfermedad... Pero, ¿debía hacerlo?

Consulté con Blanca.

—¿Por qué me lo pregunta usted *a mí?* —repuso ella, cogiéndome una mano.

—Más claro, Blanca... —respondí—. Yo la amo a usted... ¿Hago mal en amarla?

—¡No! —respondió Blanca palideciendo.

Y sus ojos negros dejaron escapar dos torrentes de luz y de voluptuosidad...

II

Pedí, pues, dos meses de licencia, me los concedieron... gracias a ti. ¡Nunca me hubieras hecho aquel favor!

Mis relaciones con Blanca no fueron amor: fueron delirio, locura, fanatismo.

Lejos de atemperarse mi frenesí con la posesión de aquella mujer extraordinaria, se exacerbó más y más: cada día que pasaba, descubría nuevas afinidades entre nosotros, nuevos tesoros de ventura, nuevos manantiales de felicidad...

Pero en mi alma como en la suya, brotaban al propio tiempo misteriosos temores.

¡Temíamos perdernos!... Ésta era la fórmula de nuestra inquietud.

Los amores vulgares necesitan el miedo para alimentarse, para no decaer. Por eso se ha dicho que toda relación ilegítima es más vehemente que el matrimonio. Pero un amor como el nuestro hallaba recónditos pesares en su precario porvenir, en su inestabilidad, en su carencia de lazos indisolubles...

Blanca me decía:

—Nunca esperé ser amada por un hombre como tú; y, después de ti, no veo amor ni dicha posibles para mi corazón. Joaquín, un amor como el tuyo era la necesidad de mi vida: moría ya sin él; sin él moriría mañana... Dime que nunca me olvidarás.

—¡Casémonos, Blanca! —respondía yo.

Y Blanca inclinaba la cabeza con angustia.

—¡Sí, casémonos! —volvía yo a decir, sin comprender aquella muda desesperación.

138

—¡Cuánto me amas! —replicaba ella—. Otro hombre en tu lugar rechazaría esa idea, si yo se la propusiese. Tú, por el contrario...

—Yo, Blanca, estoy orgulloso de ti; quiero ostentarte a los ojos del mundo; quiero perder toda zozobra acerca del tiempo que vendrá; quiero saber que eres mía para siempre. Además, tú conoces mi carácter, sabes que nunca transijo en materias de honra... Pues bien; la sociedad en que vivimos llama *crimen* a nuestra dicha... ¿Por qué no hemos de rendirnos al pie del altar? ¡Te quiero pura, te quiero noble, te quiero santa! ¡Te amaré entonces más que hoy!... ¡Acepta mi mano!

—¡No puedo! —respondía aquella mujer incomprensible.

Y este debate se reprodujo mil veces.

Un día que yo peroré largo rato contra el adulterio y contra toda inmoralidad, Blanca se conmovió extraordinariamente; lloró, me dio las gracias y repitió lo de costumbre:

—¡Cuánto me amas! ¡Qué bueno, qué grande, qué noble eres!

A todo esto expiraba la prórroga de mi licencia.

Érame necesario volver a mi destino, y así se lo anuncié a Blanca.

—¡Separarnos! —gritó con infinita angustia.

—¡Tú lo has querido! —contesté.

—¡Eso es imposible!... Yo te idolatro, Joaquín.

—Blanca, yo te adoro.

—Abandona tu carrera... Yo soy rica... ¡Viviremos juntos! —exclamó, tapándome la boca para que no replicara.

La besé la mano, y respondí:

—De mi esposa aceptaría esa oferta, haciendo todavía un sacrificio... Pero de ti...

—¡De mí! —respondió llorando—. ¡De la madre de tu hijo!

—¿Quién? ¡Tú! ¡Blanca!...

—Sí..., Dios acaba de decirme que soy madre... ¡Madre por primera vez! ¡Tú has completado mi vida, Joaquín; y no bien gusto la fruición de esta bienaventuranza absoluta, quieres desgajar el árbol de mi dicha! ¡Me das un hijo y me abandonas tú...!

—¡Sé mi esposa, Blanca! —fue mi única contestación—. Labremos la felicidad de ese ángel que llama a las puertas de la vida.

Blanca permaneció mucho tiempo silenciosa.

Luego levantó la cabeza con una tranquilidad indefinible, y murmuró:

—Seré tu esposa.

—¡Gracias! ¡Gracias, Blanca mía!

—Escucha —dijo al poco rato—: no quiero que abandones tu carrera...

—¡Ah! ¡Mujer sublime!

—Vete a tu Juzgado... ¿Cuánto tiempo tardarás en arreglar allí tus asuntos, solicitar del Gobierno más licencia y volver a Sevilla?

—Un mes.

—Un mes... —repuso Blanca—. ¡Bien! Aquí te espero. Vuelve dentro de un mes y seré tu esposa. Hoy somos 15 de abril... ¡El 15 de mayo, sin falta!

—¡Sin falta!

—¿Me lo juras?

—Te lo juro.

—¡Aún otra vez! —replicó Blanca.

—Te lo juro.

—¿Me amas?

—Con toda mi vida.

—Pues vete, y ¡vuelve! Adiós...

Dijo, y me suplicó que la dejara y que partiera sin perder momento.

Despedíme de ella y partí a*** aquel mismo día.

140

Llegué a***.

Preparé mi casa para recibir a mi esposa; solicité y obtuve, como sabes, otro mes de licencia, y arreglé todos mis asuntos con tal eficacia, que, al cabo de quince días, me vi en libertad de volver a Sevilla.

Debo advertirte que durante aquel medio mes no recibí ni una sola carta de Blanca, a pesar de haberle yo escrito seis. Esta circunstancia me tenía vivamente contrariado. Así fue que, aunque sólo había transcurrido la mitad del plazo que mi amada me concediera, salí para Sevilla, adonde llegué el día 30 de abril.

Inmediatamente me dirigí a la fonda que había sido nido de nuestros amores.

Blanca había desaparecido dos días después de mi partida, sin dejar razón del punto a que se encaminaba.

¡Imagínate el dolor de mi desengaño! ¡No escribirme que se marchaba! ¡Marcharse sin dejar dicho adónde se dirigía! ¡Hacerme perder completamente su rastro! ¡Evadirse, en fin, como una criminal cuyo delito se ha descubierto!

Ni por un instante se me ocurrió permanecer en Sevilla hasta el 15 de mayo aguardando a ver si regresaba Blanca... La violencia de mi dolor y de mi indignación, y el bochorno que sentía por haber aspirado a la mano de semejante aventurera, no dejaban lugar a ninguna esperanza, a ninguna ilusión, a ningún consuelo. Lo contrario hubiera sido ofender mi propia conciencia, que ya veía en Blanca el ser odioso y repugnante que el amor o el deseo habían disfrazado hasta entonces... ¡Indudablemente era una mujer liviana e hipócrita, que me amó sensualmente, pero que, previendo la habitual mudanza de su caprichoso corazón, no pensó nunca en que nos casáramos! Hostigada al fin por mi amor y mi honradez, había ejecutado una torpe comedia, a fin de escaparse impunemente. ¡Y en cuanto a aquel hijo anunciado con tanto júbilo, tampoco me cabía ya duda de que era otra ficción, otro engaño, otra sangrienta burla!... ¡Apenas se comprendía semejante perversidad en una criatura tan bella y tan inteligente!

Tres días nada más estuve en Sevilla, y el 4 de mayo me marché a la Corte, renunciando a mi destino, para ver si mi familia y el bullicio del mundo me hacían olvidar a aquella mujer, que sucesivamente había sido para mí la *gloria* y el *infierno.*

Por último, hace cosa de quince meses que tuve que aceptar el Juzgado de este otro pueblo, donde, como has visto, no vivo muy contento que digamos; siendo lo peor de todo que, en medio de mi aborrecimiento a Blanca, detesto mucho más a las demás mujeres... por la sencilla razón de que no son *ella...*

¿Te convences ahora de que nunca llegaré a casarme?

VI

EL CUERPO DEL DELITO

Pocos segundos después de terminar mi amigo Zarco la relación de sus amores, llegamos al cementerio.

El cementerio de*** no es otra cosa que un campo yermo y solitario, sembrado de cruces de madera y rodeado por una tapia. Ni lápida ni sepulcros turban la monotonía de aquella mansión. Allí descansan, en la fría tierra, pobres y ricos, grandes y plebeyos, nivelados por la muerte.

En estos pobres cementerios, que tanto abundan en España y que son acaso los más poéticos y los más propios de sus *moradores,* sucede con frecuencia que, para sepultar un cuerpo, es menester exhumar otro, o, mejor dicho, que cada dos años se echa una nueva capa de muertos sobre la tierra. Consiste esto en la pequeñez del recinto, y da por resultado que, alrededor de cada nueva zanja, hay mil blancos despojos que de tiempo en tiempo son conducidos al *osario común*.

Yo he visto más de una vez estos osarios... ¡Y en verdad que merecen ser vistos! Figuraos, en un rincón del campo santo, una especie de pirámide de huesos, una colina de multiforme marfil, un cerro de cráneos, fémures, canillas, húmeros, clavículas rotas columnas espinales desgranadas, dientes sembrados acá y allá, costillas que fueron armadura de corazones, dedos diseminados..., y todo ello seco, frío, muerto, árido... ¡Figuraos, figuraos aquel horror!

Y ¡qué contactos! Los enemigos, los rivales, los esposos, los padres y sus hijos, están allí, no sólo juntos, sino revueltos, mezclados por pedazos, como trillada mies, como rota paja... Y ¡qué desapacible ruido cuando un cráneo choca con otro, o cuando baja rodando desde la cumbre por aquellas huecas astillas de antiguos hombres! Y ¡qué risa tan insultante tienen las calaveras!

Pero volvamos a nuestra historia.

Andábamos Joaquín y yo dando sacrílegamente con el pie a tantos restos inanimados, ora pensando en el día que otros pies hollarían nuestros despojos, ora atribuyendo a cada hueso una historia; procurando hallar el secreto de la vida en aquellos cráneos donde acaso moró el genio o bramó la pasión, y ya vacíos como celda de difunto fraile, o adivinando otras veces (por la configuración, por la dureza y por la dentadura) si tal calavera perteneció a una mujer, a un niño o a un anciano; cuando las miradas del juez quedaron fijas en uno de aquellos globos de marfil...

—¿Qué es esto? —exclamó retrocediendo un poco—. ¿Qué es esto, amigo mío? ¿No es un *clavo?*

Y así hablando daba vueltas con el 'bastón a un cráneo, bastante fresco todavía, que conservaba algunos espesos mechones de pelo negro.

Miré y quedé tan asombrado como mi amigo... ¡Aquella calavera estaba atravesada por un clavo de hierro!

La chata cabeza de este clavo asomaba por la parte superior del hueso coronal, mientras que la punta salía por el que fue cielo de la boca.

¿Qué podía significar aquello?

De la extrañeza pasamos a las conjeturas, ¡y de las conjeturas al horror!...

—¡Reconozco la Providencia! —exclamó finalmente Zarco—. ¡He aquí un espantoso crimen que iba a quedar impune y que se delata por sí mismo a la justicia! ¡Cumpliré con mi deber, tanto más, cuanto que parece que el mismo Dios me lo ordena directamente al poner ante mis ojos la taladrada cabeza de la víctima! ¡Ah! Sí... ¡Juro no descansar hasta que el autor de este horrible delito expíe su maldad en el cadalso!

VII

PRIMERAS DILIGENCIAS

Mi amigo Zarco era un modelo de jueces.

Recto, infatigable, aficionado, tanto como obligado, a la administración de justicia, vio en aquel asunto un campo vastísimo en que emplear toda su inteligencia, todo su celo, todo su fanatismo (perdonad la palabra) por el cumplimiento de la ley.

Inmediatamente hizo buscar a un escribano, y dio principio al proceso.

Después de extendido testimonio de aquel hallazgo, llamó al enterrador.

El lúgubre personaje se presentó ante la ley pálido

y tembloroso. ¡A la verdad, entre aquellos dos hombres, cualquier escena tenía que ser horrible! Recuerdo literalmente su diálogo:

El juez.—¿De quién puede ser esta calavera?

El sepulturero.—¿Dónde la ha encontrado vuestra señoría?

El juez.—En este mismo sitio.

El sepulturero.—Pues entonces pertenece a un cadáver que, por estar ya *algo pasado,* desenterré ayer para sepultar a una vieja que murió anteanoche.

El juez.—¿Y por qué exhumó usted ese cadáver y no otro más antiguo?

El sepulturero.—Ya lo he dicho a vuestra señoría: para poner a la vieja en su lugar. ¡El Ayuntamiento no quiere convencerse de que este cementerio es muy chico para tanta gente como se muere ahora! ¡Así es que no se deja a los muertos secarse en la tierra, y tengo que trasladarlos medio vivos al osario común!

El juez.—¿Y podrá saberse de quién es el cadáver a que corresponde esta cabeza?

El sepulturero.—No es muy fácil, señor.

El juez.—Sin embargo, ¡ello ha de ser! Conque piénselo usted despacio.

El sepulturero.—Encuentro un medio de saberlo...

El juez.—Dígalo usted.

El sepulturero.—La caja de aquel muerto se hallaba en regular estado cuando la saqué de la tierra, y me la llevé a mi habitación para aprovechar las tablas de la tapa. Acaso conserven alguna señal, como iniciales, galones o cualquiera otra de esas cosas que se estilan ahora para adornar los ataúdes...

El juez.—Veamos esas tablas.

En tanto que el sepulturero traía los fragmentos del ataúd, Zarco mandó a un alguacil que envolviese el misterioso cráneo en un pañuelo, a fin de llevárselo a su casa.

El enterrador llegó con las tablas.

Como esperábamos, encontráronse en una de ellas algunos jirones de galón dorado, que, sujetos a la madera con tachuelas de metal, habrían formado letras y números...

Pero el galón estaba roto, y era imposible restablecer aquellos caracteres.

No desmayó, con todo, mi amigo, sino que hizo arrancar completamente el galón, y por las tachuelas, o por las punturas de otras que había habido en la tabla, recompuso las siguientes cifras:

A. G. R.
1843
R. I. P.

Zarco radió en entusiasmo al hacer este descubrimiento.

—¡Es bastante! ¡Es demasiado! —exclamó gozosamente—. ¡Asido de esta hebra, recorreré el laberinto y lo descubriré todo!

Cargó el alguacil con la tabla, como había cargado con la calavera, y regresamos a la población.

Sin descansar un momento, nos dirigimos a la parroquia más próxima.

Zarco pidió al cura el *libro de sepelios* de 1843.

Recorriólo el escribano hoja por hoja, partida por partida...

Aquellas iniciales A. G. R. no correspondían a ningún difunto.

Pasamos a otra parroquia.

Cinco tiene la villa: a la cuarta que visitamos, halló el escribano esta partida de sepelio:

«*En la iglesia parroquial de San..., de la villa de***, a 4 de mayo de 1843, se hicieron los oficios de funeral, conforme a entierro mayor, y se dio sepultura en el cementerio común a D.* ALFONSO GUTIÉRREZ DEL ROMERAL, *natural y vecino que fue de esta población,* *el cual no recibió los Santos Sacramentos ni testó, por haber muerto de apoplejía fulminante, en la noche anterior, a la edad de treinta y un años. Estuvo casado con doña Gabriela Zahara del Valle, natural de Madrid, y no deja hijos. Y para que conste, etc....»*

Tomó Zarco un certificado de esta partida, autorizado por el cura, y regresamos a nuestra casa.

Por el camino me dijo el Juez:

—Todo lo veo claro. Antes de ocho días habrá terminado este proceso que tan oscuro se presentaba hace dos horas. Ahí llevamos una *apoplejía fulminante* de hierro, que tiene cabeza y punta, y que dio muerte repentina a un *don Alfonso Gutiérrez del Romeral.* Es decir: tenemos el *clavo...* Ahora sólo me falta encontrar el *martillo.*

VIII

DECLARACIONES

Un *vecino* dijo:

Que don Alfonso Gutiérrez del Romeral, joven y rico propietario de aquella población, residió algunos años en Madrid, de donde volvió en 1840 casado con una bellísima señora llamada doña Gabriela Zahara:

Que el declarante había ido algunas noches de tertulia a casa de los recién casados, y tuvo ocasión de observar la paz y ventura que reinaban en el matrimonio:

Que cuatro meses antes de la muerte de don Alfonso había marchado su esposa a pasar una temporada en Madrid con su familia, según explicación del mismo marido:

Que la joven regresó en los últimos días de abril, o sea tres meses y medio después de su partida:

Que a los ocho días de su llegada ocurrió la muerte de don Alfonso:

Que habiendo enfermado la viuda a consecuencia del sentimiento que le causó esta pérdida, manifestó a sus amigos que le era insoportable vivir en un pueblo donde todo le hablaba de su querido y malogrado esposo, y se marchó para siempre a mediados de mayo, diez o doce días después de la muerte de su esposo:

Que era cuanto podía declarar, y la verdad, a cargo del juramento que había prestado, etc.

Otros *vecinos* prestaron declaraciones casi idénticas a la anterior.

Los *criados* del difunto Gutiérrez dijeron:

Después de repetir los datos de la vecindad:

Que la paz del matrimonio no era tanta como se decía de público:

Que la separación de tres meses y medio que precedió a los últimos ocho días que vivieron juntos los esposos, fue un tácito rompimiento, consecuencia de profundos y misteriosos disgustos que mediaban entre ambos jóvenes desde el principio de su matrimonio:

Que la noche en que murió su amo se reunieron los esposos en la alcoba nupcial, como lo verificaban desde la vuelta de la señora, contra su antigua costumbre de dormir cada uno en su respectivo cuarto:

Que a media noche los criados oyeren sonar violentamente la campanilla, a cuyo repiqueteo se unían los desaforados gritos de la señora:

Que acudieron, y vieron salir a ésta de la cámara nupcial, con el cabello en desorden, pálida y convulsa, gritando entre amarguísimos sollozos:

—«Una apoplejía! ¡Un médico! ¡Alfonso mío! ¡El señor se muere...!»

Que penetraron en la alcoba, y vieron a su amo tendido sobre el lecho y ya cadáver; y que habiendo

148

acudido un médico, confirmó que don Alfonso había muerto de una congestión cerebral.

El médico: Preguntado al tenor de la cita que precede, dijo: Que era cierta en todas sus partes.

El mismo *médico* y otros dos facultativos:

Habiéndoseles puesto de manifiesto la calavera de don Alfonso, y preguntados sobre si la muerte recibida de aquel modo podía aparecer a los ojos de la ciencia como apoplejía, dijeron que *sí*.

Entonces dictó mi amigo el siguiente auto:

«Considerando que la muerte de don Alfonso Gutiérrez del Romeral debió ser instantánea y subsiguiente a la introducción del clavo en su cabeza:

Considerando que, cuando murió, estaba solo con su esposa en la alcoba nupcial:

Considerando que es imposible atribuir a suicidio una muerte semejante, por las dificultades materiales que ofrece su perpetración con mano propia:

Se declara reo de esta causa, y autora de la muerte de don Alfonso, a su esposa doña Gabriela Zahara del Valle, para cuya captura se expedirán los oportunos exhortos, etc.»

—Dime, Joaquín... —pregunté yo al Juez—, ¿crees que se capturará a Gabriela Zahara?

—¡Indudablemente!

—Y, ¿por qué lo aseguras?

—Porque, en medio de estas rutinas judiciales, hay cierta fatalidad dramática que no perdona nunca. Más claro: cuando los huesos salen de la tumba a declarar, poco les queda que hacer a los Tribunales.

IX

A pesar de las esperanzas de mi amigo Zarco, Gabriela Zahara no pareció.

Exhortos, requisitorias: todo fue inútil.

Pasaron tres meses.

La causa se sentenció en rebeldía.

Yo abandoné la villa de***, no sin prometerle a Zarco volver al año siguiente.

X

UN DÚO EN «MI» MAYOR

Aquel invierno lo pasé en Granada.

Érase una noche en que había gran baile en casa de la riquísima señora de X..., la cual había tenido la bondad de convidarme a la fiesta.

A poco de llegar a aquella magnífica morada, donde estaban reunidas todas las célebres hermosuras de la aristocracia granadina, reparé en una bellísima mujer, cuyo rostro habría distinguido entre mil otros semejantes, suponiendo que Dios hubiese formado alguno que se le pareciera.

¡Era mi desconocida, mi mujer misteriosa, mi desengañada de la diligencia, mi compañera de viaje, el *número 1* de que os hablé al principio de esta relación!

Corrí a saludarla, y ella me reconoció en el acto.

—Señora —le dije—, he cumplido a usted mi promesa de no buscarla. Hasta ignoraba que podía encontrar a usted aquí. A saberlo, acaso no hubiera venido, por temor de ser a usted enojoso. Una vez ya delante

150

de usted, espero que me diga si puedo reconocerla, si me es dado hablarle, si ha cesado el entredicho que me alejaba de usted.

—Veo que es usted vengativo... —me contestó graciosamente, alargándome la mano—. Pero yo le perdono. ¿Cómo está usted?

—¡En verdad que lo ignoro! —respondí—. Mi salud, la salud de mi alma —pues no otra cosa me preguntará usted en medio de un baile— depende de la salud de su alma de usted. Esto quiere decir que mi dicha no puede ser sino un reflejo de la suya. ¿Ha sanado ese pobre corazón?

—Aunque la galantería le prescriba a usted desearlo —contestó la dama—, y mi aparente jovialidad haga suponerlo, usted sabe..., lo mismo que yo, que las heridas del corazón no se curan.

—Pero se *tratan,* señora, como dicen los facultativos; se hacen llevaderas; se tiende una piel rosada sobre la roja cicatriz; se edifica una ilusión sobre un desengaño...

—Pero esa edificación es falsa...

—¡Como la primera, señora; como todas! *Querer creer, querer gozar...*, he aquí la dicha.. Mirabeau [4], moribundo, no aceptó el generoso ofrecimiento de un joven que quiso transfundir toda su sangre en las empobrecidas arterias del grande hombre... ¡No sea usted como Mirabeau! ¡Beba usted nueva vida en el primer corazón virgen que le ofrezca su rica savia! Y pues no gusta usted de galanterías, le añadiré, en abono de mi consejo, que, al hablar así, no defiendo mis intereses...

—¿Por qué dice usted eso último?

—Porque yo también tengo algo de Mirabeau; no en la cabeza, sino en la sangre. Necesito lo que usted... ¡Una primavera que me vivifique!

_____
[4] Mirabeau, Honoré-Gabriel (1749 1791). El orador más elocuente de la Revolución francesa.

—¡Somos muy desdichados! En fin..., usted tendrá la bondad de no huir de mí en adelante...

—Señora, iba a pedirla a usted permiso para visitarla.

Nos despedimos.

—¿Quién es esta mujer? —pregunté a un amigo
mío.

—Una americana que se llama Mercedes de Meridanueva —me contestó—. Es todo lo que sé, y mucho más de lo que se sabe generalmente.

XI

FATALIDAD

Al día siguiente fui a visitar a mi nueva amiga a
la *Fonda de los Siete Suelos* de la Alhambra.

La encantadora Mercedes me trató como a un amigo íntimo, y me invitó a pasear con ella por aquel
edén de la Naturaleza y templo del arte, y a acompañarla luego a comer.

De muchas cosas hablamos durante las seis horas
que estuvimos juntos; y, como el tema a que siempre volvíamos era el de los desengaños amorosos, hube de contarle la historia de los amores de mi amigo
Zarco.

Ella la oyó muy atentamente, y, cuando terminé;
se echó a reír, y me dijo:

—Señor don Felipe, sírvale a usted eso de lección
para no enamorarse nunca de mujeres a quienes no
conozca...

—No vaya usted a creer —respondí con viveza—
que he inventado esa historia, o se la he referido,
porque me figure que todas las damas misteriosas que
se encuentra uno en viaje son como la que engañó
a mi condiscípulo...

152

—Muchas gracias... pero no siga usted —replicó, levantándose de pronto—. ¿Quién duda de que en la *Fonda de los Siete Suelos* de Granada pueden alojarse mujeres que en nada se parezcan a esa que tan fácilmente se enamoró de su amigo de usted en la fonda de Sevilla? En cuanto a mí, no hay riesgo de que me enamore de nadie, puesto que nunca hablo tres veces con un mismo hombre...

—¡Señora! ¡Eso es decirme que no vuelva!...

—No: esto es anunciar a usted que mañana, al ser de día, me marcharé de Granada, y que probablemente no volveremos a vernos nunca.

—¡*Nunca!* Lo mismo me dijo usted en Málaga, después de nuestro famoso viaje...; y, sin embargo, nos hemos visto de nuevo...

—En fin: dejemos libre el campo a la fatalidad. Por mi parte, repito que ésta es nuestra despedida... eterna...

Dichas tan solemnes palabras, Mercedes me alargó la mano y me hizo un profundo saludo.

Yo me alejé vivamente conmovido, no sólo por las frías y desdeñosas frases con que aquella mujer había vuelto a descartarme de su vida (como cuando nos separamos en Málaga), sino ante el incurable dolor que vi pintarse en su rostro, mientras que procuraba sonreírse, al decirme *adiós* por última vez...

¡Por última vez!... ¡Ay! ¡Ojalá hubiera sido la última!

Pero la fatalidad lo tenía dispuesto de otro modo.

XII

TRAVESURAS DEL DESTINO

Pocos días después llamáronme de nuevo mis asuntos al lado de Joaquín Zarco.

Llegué a la villa de***.

Mi amigo seguía triste y solo, y se alegró mucho de verme.

Nada había vuelto a saber de Blanca; pero tampoco había podido olvidarla ni siquiera un momento...

Indudablemente, aquella mujer era su predestinación... ¡Su *gloria* o su *infierno,* como el desgraciado solía decir!

Pronto veremos que no se equivocaba en este supersticioso juicio.

La noche del mismo día de mi llegada estábamos en su despacho leyendo las últimas diligencias practicadas para la captura de Gabriela Zahara del Valle, todas ellas inútiles por cierto, cuando entró un alguacil y entregó al joven juez un billete que decía de este modo:

«*En la fonda del León hay una señora que desea hablar con el señor Zarco.*»

—¿Quién ha traído esto? —preguntó Joaquín.

—Un criado.

—¿De parte de quién?

—No me ha dicho nombre alguno.

—¿Y ese criado...?

—Se fue al momento.

Joaquín meditó y dijo luego lúgubremente:

—¡Una señora! ¡A mí!... ¡No sé por qué me da miedo esta cita!... ¿Qué te parece, Felipe?

—Que tu deber de juez es asistir a ella. ¡Puede tratarse de Gabriela Zahara!...

—Tienes razón... ¡Iré! —dijo Zarco, pasándose una mano por la frente.

Y cogiendo un par de pistolas envolvióse en la capa y partió, sin permitir que lo acompañase.

Dos horas después volvió.

Venía agitado, trémulo, balbuciente...

154

Pronto conocí que una vivísima alegría era la causa de aquella agitación.

Zarco me estrechó convulsivamente entre sus brazos, exclamando a gritos, entrecortados por el júbilo:

—¡Ah! ¡Si supieras!... ¡Si supieras, amigo mío!

—¡Nada sé! —respondí—. ¿Qué te ha pasado?

—¡Ya soy dichoso! ¡Ya soy el más feliz de los hombres!

—Pues ¿qué ocurre?

—La esquela en que me llamaban a la fonda.

—Continúa.

—¡Era de ella!

—¿De quién? ¿De Gabriela Zahara?

—¡Quita de allá, hombre! ¿Quién piensa ahora en desventuras? ¡Era de ella! ¡De la otra!

—Pero ¿quién es la otra?

—¿Quién ha de ser? ¡Blanca! ¡Mi amor! ¡Mi vida! ¡La madre de mi hijo!

—¿Blanca? —repliqué con asombro—. Pues ¿no decías que te había engañado?

—¡Ah! ¡No! ¡Fue alucinación mía!...

—¿La que padeces ahora?

—No; la que entonces padecí.

—Explícate.

—Escucha: Blanca me adora...

—Adelante. El que tú lo digas no prueba nada.

—Cuando nos separamos Blanca y yo el día 15 de abril, quedamos en reunirnos en Sevilla para el 15 de mayo. A poco tiempo de mi marcha, recibió ella una carta en que le decían que su presencia era necesaria en Madrid para asuntos de familia; y como podía disponer de un mes hasta mi vuelta, fue a la Corte, y volvió a Sevilla muchos días antes del 15 de mayo. Pero yo, más impaciente que ella, acudí a la cita con quince días de anticipación de la fecha estipulada, y no hallando a Blanca en la fonda, me creí engañado…, y no esperé. En fin… ¡he pasado dos años de tormento por una ligereza mía!

Pero una carta lo evitaba todo…

—Dice que había olvidado el nombre de aquel pueblo, cuya promotoría [5] sabes que dejé inmediatamente, yéndome a Madrid…

—¡Ah! ¡Pobre amigo mío! —exclamé—. ¡Veo que quieres convencerte; que te empeñas en consolarte! ¡Más vale así! Conque, veamos: ¿Cuándo te casas? ¡Porque supongo que, una vez deshechas las nieblas de los celos, lucirá radiante el sol del matrimonio!…

—¡No te rías! —exclamó Zarco—. Tú serás mi padrino.

—Con mucho gusto. ¡Ah! ¿Y el niño? ¿Y vuestro hijo?

—¡Murió!

—¡También eso! Pues, señor… —dije aturdidamente—. ¡Dios haga un milagro!

—¡Cómo!

—Digo… ¡que Dios te haga feliz!

XIII

DIOS DISPONE

Por aquí íbamos en nuestra conversación, cuando oímos fuertes aldabonazos en la puerta de la calle.

Eran las dos de la madrugada.

Joaquín y yo nos estremecimos sin saber por qué…

Abrieron; y a los pocos segundos entró en el despacho un hombre que apenas podía respirar, y que exclamaba entrecortadamente con indescriptible júbilo:

---

[5] *promotoría*: actividad del funcionario judicial, antiguamente encargado de acusar a los responsables de delitos públicos.

—¡Albricias! ¡Albricias, compañero! ¡Hemos vencido!

Era el promotor fiscal del Juzgado.

—Explíquese usted, compañero... —dijo Zarco, alargándole una silla—. ¿Qué ocurre para que venga usted tan a deshora y tan contento?

—Ocurre... ¡Apenas es importante lo que ocurre!... Ocurre que Gabriela Zahara...

—¿Cómo?... ¿Qué?... —interrumpimos a un mismo tiempo Zarco y yo.

—¡Acaba de ser presa!

—¡Presa! —gritó el Juez lleno de alegría.

—Sí, señor; ¡presa! —repitió el Fiscal—. La Guardia civil le seguía la pista hace un mes, y, según acaba de decirme el sereno, que suele acompañarme desde el Casino hasta mi casa, ya la tenemos a buen recaudo en la cárcel de esta muy noble villa...

—Pues vamos allá... —replicó el Juez—. Esta misma noche le tomaremos declaración. Hágame usted el favor de avisar al escribano de la causa. Usted mismo presenciará las actuaciones, atendida la gravedad del caso... Diga usted que manden a llamar también al sepulturero, a fin de que presente por sí propio la cabeza de don Alfonso Gutiérrez, la cual obra en poder del alguacil. Hace tiempo que tengo excogitado este horrible *careo* de los dos esposos, en la seguridad de que la parricida no podrá negar su crimen al ver aquel clavo de hierro que, en la boca de la calavera parece una lengua acusadora. En cuanto a ti —díjome luego Zarco—, harás el papel de *escribiente,* para que puedas presenciar, sin quebrantamiento de la ley, escenas tan interesantes...

Nada le contesté. Entregado mi infeliz amigo a su *alegría de Juez* —permítaseme la frase—, no había concebido la horrible sospecha que, sin duda, os agita ya a vosotros...; sospecha que penetró desde luego en mi corazón, taladrándolo con sus uñas de hie-

157

rro... ¡Gabriela y Blanca, llegadas a aquella villa en una misma noche, podían ser una sola persona!

—Dígame usted —pregunté al promotor, mientras que Zarco se preparaba para salir—: ¿En dónde estaba Gabriela cuando la prendieron los guardias?

—En la fonda del León —me respondió el Fiscal. ¡Mi angustia no tuvo límites!

Sin embargo, nada podía hacer, nada podía decir, sin comprometer a Zarco, como tampoco debía envenenar el alma de mi amigo comunicándole aquella lúgubre conjetura, que acaso iban a desmentir los hechos. Además, suponiendo que Gabriela y Blanca fueran una misma persona, ¿de qué le valdría al desgraciado el que yo se lo indicase anticipadamente? ¿Qué podía hacer en tan tremendo conflicto? ¿Huir? ¡Yo debía evitarlo, pues era declararse reo! ¿Delegar, fingiendo una indisposición repentina? Equivaldría a desamparar a Blanca, en cuya defensa tanto podría hacer, si su causa le parecía defendible. ¡Mi obligación, por tanto, era guardar silencio y dejar paso a la justicia de Dios!

Tal discurrí por lo menos en aquel súbito lance, cuando no había tiempo ni espacio para soluciones inmediatas... ¡La catástrofe se venía encima con trágica premura!... El Fiscal había dado ya las órdenes de Zarco a los alguaciles, y uno de éstos había ido a la cárcel, a fin de que dispusiesen la sala de Audiencia para recibir al Juzgado. El comandante de la Guardia Civil entraba en aquel momento a dar parte en persona —como muy satisfecho que estaba del caso— de la prisión de Gabriela Zahara... Y algunos trasnochadores, socios del Casino y amigos del Juez, noticiosos de la ocurrencia, iban acudiendo también allí, como a olfatear y presentir las emociones del terrible día en que dama tan principal y tan bella subiese al cadalso... En fin, no había más remedio que

158

ir hasta el borde del abismo, pidiendo a Dios que Gabriela no fuese Blanca.

Disimulé, pues, mi inquietud y callé mis recelos, y a eso de las cuatro de la mañana seguí al Juez, al promotor, al escribano, al comandante de la Guardia Civil y a un pelotón de curiosos y de alguaciles, que se trasladaron a la cárcel regocijadamente.

XIV

EL TRIBUNAL

Allí aguardaba ya el sepulturero.

La sala de la Audiencia estaba profusamente iluminada.

Sobre la mesa veíase una caja de madera pintada de negro, que contenía la calavera de don Alfonso Gutiérrez del Romeral.

El Juez ocupó su sillón; el promotor se sentó a su derecha, y el comandante de la Guardia, por respetos superiores a las prácticas forenses, fue invitado a presenciar también la indagatoria, visto el interés que, como a todos, le inspiraba aquel ruidoso proceso. El escribano y yo nos sentamos juntos, a la izquierda del Juez, y el alcalde y los alguaciles se agruparon a la puerta, no sin que se columbrasen detrás de ellos algunos curiosos a quienes su alta categoría pecuniaria había franqueado, para tal solemnidad, la entrada en el temido establecimiento, y que habrían de contentarse con *ver* a la acusada, por no consentir otra cosa el secreto del sumario.

Constituida en esta forma la Audiencia, el Juez tocó la campanilla, y dijo al alcaide:

—Que entre doña Gabriela Zahara.

Yo me sentía morir, y, en vez de mirar a la puerta, miraba a Zarco, para leer en su rostro la solución del pavoroso problema que me agitaba...

Pronto vi a mi amigo ponerse lívido, llevarse la mano a la garganta como para ahogar un rugido de dolor, y volverse hacia mí en demanda de socorro...

—¡Calla! —le dije, llevándome el índice a los labios.

Y luego añadí, con la mayor naturalidad, como respondiendo a alguna observación suya:

—Lo sabía...

El desventurado quiso levantarse...

—¡Señor Juez!... —le dije entonces con tal voz y con tal cara, que comprendió toda la enormidad de sus deberes y de los peligros que corría. Contrájose, pues, horriblemente, como quien trata de soportar un peso extraordinario y, dominándose al fin por medio de aquel esfuerzo, su cara ostentó la inmovilidad de una piedra. A no ser por la calentura de sus ojos, hubiérase dicho que aquel hombre estaba muerto.

¡Y muerto estaba el hombre! ¡Ya no vivía en él más que el magistrado!

Cuando me hube convencido de ello, miré, como todos, a la acusada.

Figuraos ahora mi sorpresa y mi espanto, casi iguales a los del infortunado Juez... ¡Gabriela Zahara no era solamente la *Blanca* de mi amigo, su querida de Sevilla, la mujer con quien acababa de reconciliarse en la fonda del León, sino también mi desconocida de Málaga, mi amiga de Granada, la hermosísima americana *Mercedes de Meridanueva!*

Todas aquellas fantásticas mujeres se resumían en una sola, en una indudable, en una real y positiva, en una sobre quien pesaba la acusación de haber matado a su marido, en una que estaba condenada a muerte en rebeldía...

Ahora bien: esta acusada, esta sentenciada, ¿sería inocente? ¿Lograría sincerarse? ¿Se vería absuelta?

Tal era mi única y suprema esperanza, tal debía ser también la de mi pobre amigo.

XV

EL JUICIO

El Juez es una ley que habla
y la ley un Juez mudo.
La ley debe ser como la muerte, que no perdona a nadie.

(MONTESQUIEU) [6].

Gabriela —llamémosla, al fin, por su verdadero nombre— estaba sumamente pálida; pero también muy tranquila. Aquella calma, ¿era señal de su inocencia, o comprobaba la insensibilidad propia de los grandes criminales? ¿Confiaba la viuda de don Alfonso en la fuerza de su derecho, o en la debilidad de su Juez?

Pronto salí de dudas.

La acusada no había mirado hasta entonces más que a Zarco, no sé si para infundirle valor y enseñarle a disimular, si para amenazarle con peligrosas revelaciones o si para darle mudo testimonio de que su *Blanca* no podía haber cometido un asesinato... Pero, observando sin duda la tremenda impasibilidad del Juez, debió de sentir miedo, y miró a los demás concurrentes, cual si buscase en otras simpatías auxilio moral para su buena o su mala causa.

Entonces me vio a mí, y una llamarada de rubor, que me pareció de buen agüero, tiñó de escarlata su semblante.

Pero muy luego se repuso, y tornó a su palidez y tranquilidad.

---

[6] Montesquieu, Charles de Secondat (1689-1755). Famoso escritor francés, autor de las *Cartas persas* (1721) y de una obra capital, *El espíritu de las leyes* (1748).

Zarco salió al fin del estupor en que estaba sumido, y, con voz dura y áspera como la vara de la Justicia, preguntó a su antigua amada y prometida esposa:

—¿Cómo se llama usted?

—Gabriela Zarco del Valle de Gutiérrez del Romeral —contestó la acusada con dulce y reposado acento.

Zarco tembló ligeramente. ¡Acababa de oír que su *Blanca* no había existido nunca; y esto se lo decía ella misma! ¡Ella, con quien tres horas antes había concertado de nuevo el antiguo proyecto de matrimonio!

Por fortuna, nadie miraba al Juez, sino que todos tenían fija la vista en Gabriela, cuya singular hermosura y suave y apacible voz considerábanse como indicios de inculpabilidad. ¡Hasta el sencillo traje negro que llevaba parecía declarar en su defensa!

Repuesto Zarco de su turbación, dijo con formidable acento, y como quien juega de una vez todas sus esperanzas:

—Sepulturero: venga usted, y haga su oficio abriendo ese ataúd...

Y le señalaba la caja negra en que estaba encerrado el cráneo de don Alfonso.

—Usted, señora... —continuó, mirando a la acusada con ojos de fuego—, ¡acérquese, y diga si reconoce esa cabeza!

El sepulturero destapó la caja, y se la presentó abierta a la enlutada viuda.

Ésta, que había dado dos pasos adelante, fijó los ojos en el interior del llamado *ataúd,* y lo primero que vio fue la cabeza del *clavo,* destacándose sobre el marfil de la calavera...

Un grito desgarrador, agudo, mortal, como los que arranca un miedo repentino o como los que preceden a la locura, salió de las entrañas de Gabriela, la cual retrocedió espantada, mesándose los cabellos y tarta-mudeando a media voz:

—¡Alfonso! ¡Alfonso!

Y luego se quedó como estúpida.

—¡Ella es! —murmuramos todos, volviéndonos hacia Joaquín.

—¿Reconoce usted, pues, el *clavo* que dio muerte a su marido? —añadió el Juez, levantándose con terrible ademán, como si él mismo saliese de la sepultura...

—Sí, señor... —respondió Gabriela maquinalmente, con entonación y gesto propios de la imbecilidad.

—¿Es decir, que declara usted haberlo asesinado? —preguntó el Juez con tal angustia que la acusada volvió en sí, estremeciéndose violentamente.

—Señor... —respondió entonces—. ¡No quiero vivir más! Pero, antes de morir, quiero ser oída...

Zarco se dejó caer en el sillón como anonadado, y miróme cual si me preguntara: ¿Qué va a decir?

Yo estaba también lleno de terror.

Gabriela arrojó un profundo suspiro y continuó hablando de este modo:

—Voy a confesar, y en mi propia confesión consistirá mi defensa, bien que no sea bastante a librarme del patíbulo. Escuchad todos. ¿A qué negar lo evidente? Yo estaba sola con mi marido cuando murió. Los criados y el médico lo habrán declarado así. Por tanto, sólo yo pude darle muerte del modo que ha venido a revelar su cabeza, saliendo para ello de la sepultura... ¡Me declaro, pues, autora de tan horrendo crimen!... Pero sabed que un hombre me obligó a cometerlo.

Zarco tembló al escuchar estas palabras: dominó, sin embargo, su miedo, como había dominado su compasión, y exclamó valerosamente:

—¡Su nombre, señora! ¡Dígame pronto el nombre de ese desgraciado!

Gabriela miró al Juez con fanática adoración, como una madre a su atribulado hijo, y añadió con melancólico acento:

—¡Podría, con una sola palabra, arrastrarlo al abismo en que me ha hecho caer! ¡Podría arrastrarlo al cadalso, a fin de que no se quedase en el mundo, para maldecirme tal vez al casarse con otra!... ¡Pero no quiero! ¡Callaré su nombre, porque me ha amado y le amo! ¡Y le amo, aunque sé que no hará nada para impedir mi muerte!

El Juez extendió la mano derecha, cual si fuera a adelantarse...

Ella le reprendió con una mirada cariñosa, como diciéndole: ¡Ve que te pierdes!

Zarco bajó la cabeza.

Gabriela continuó:

—Casada a la fuerza con un hombre a quien aborrecía, con un hombre que se me hizo aún más aborrecible después de ser mi esposo, por su mal corazón y por su vergonzoso estado..., pasé tres años de martirio, sin amor, sin felicidad, pero resignada. Un día que daba vueltas por el purgatorio de mi existencia, buscando, a fuer de inocente, una salida, vi pasar, a través de los hierros que me encarcelaban, a uno de esos ángeles que libertan a las almas ya merecedoras del cielo... Asíme a su túnica, diciéndole: *Dame la felicidad...* Y el ángel me respondió: *¡Tú no puedes ser ya dichosa! —¿Por qué? —Porque no lo eres.* ¡Es decir, que el infame que hasta entonces me había martirizado, me impedía volar con aquel ángel al cielo del amor y de la ventura! ¿Concebís absurdo mayor que el de este razonamiento de mi destino? Lo diré más claramente. ¡Había encontrado un hombre digno de mí y de quien yo era digna; nos amábamos, nos adorábamos; pero él, que ignoraba la existencia de mi mal llamado esposo; él, que desde luego pensó en casarse conmigo; él, que no

164

transigía con nada que fuese ilegal o impuro, me amenazaba con abandonarme si no nos casábamos! Érase un hombre excepcional, un dechado de honradez, un carácter severo y nobilísimo, cuya única falta en la vida consistía en haberme querido demasiado... Verdad es que íbamos a tener un hijo ilegítimo; pero también es cierto que ni por un solo instante había dejado de exigirme el cómplice de mi deshonra que nos uniéramos ante Dios... Tengo la seguridad de que si yo le hubiese dicho: *Te he engañado: no soy viuda; mi esposo vive...,* se habría alejado de mí, odiándome y maldiciéndome. Inventé mil excusas, mil sofismas, y a todo me respondía: ¡*Sé mi esposa!* Yo no *podía* serlo; creyó que no *quería,* y comenzó a odiarme. ¿Qué hacer? Resistí, lloré, supliqué; pero él, aun después de saber que teníamos un hijo, me repitió que no volvería a verme hasta que le otorgase mi mano. Ahora bien: mi mano estaba vinculada a la vida de un hombre ruin, y entre matarlo a él o causar la desventura de mi hijo, la del hombre que adoraba y la mía propia, opté por arrancar su inútil y miserable vida al que era nuestro verdugo. Maté, pues, a mi marido..., creyendo ejecutar un acto de justicia en el criminal que me había engañado infamemente al casarse conmigo, y —¡castigo de Dios!— me abandonó mi amante... Después hemos vuelto a encontrarnos... ¿Para qué, Dios mío? ¡Ah! ¡Que yo muera pronto!... ¡Sí! ¡Que yo muera pronto!

Gabriela calló un momento, ahogada por el llanto.

Zarco había dejado caer la cabeza sobre las manos, cual si meditase; pero yo veía que temblaba como un epiléptico.

—¡Señor Juez! —repitió Gabriela con renovada energía—: ¡Que yo muera pronto!

Zarco hizo una seña para que se llevasen a la acusada.

Gabriela se alejó con paso firme, no sin dirigirme

antes una mirada espantosa, en que había más orgullo que arrepentimiento.

XVI

LA SENTENCIA

Excuso referir la formidable lucha que se entabló en el corazón de Zarco, y que duró hasta el día en que volvió a fallar la causa. No tendría palabras con que haceros comprender aquellos horribles combates... Sólo diré que el magistrado venció al hombre, y que Joaquín Zarco volvió a condenar a muerte a Gabriela Zahara.

Al día siguiente fue remitido el proceso en consulta a la Audiencia de Sevilla, y al propio tiempo Zarco se despidió de mí, diciéndome estas palabras:

—Aguárdame acá hasta que yo vuelva... Cuida de la infeliz, pero no la visites, pues tu presencia la humillaría en vez de consolarla. No me preguntes adónde voy, ni temas que cometa el feo delito de suicidarme. Adiós, y perdóname las aflicciones que te he causado.

... ...

Veinte días después, la Audiencia del territorio confirmó la sentencia de muerte.

Gabriela Zahara fue puesta en capilla.

XVII

ÚLTIMO VIAJE

Llegó la mañana de la ejecución sin que Zarco hubiese regresado ni se tuvieran noticias de él.

Un inmenso gentío aguardaba a la puerta de la cárcel la salida de la sentenciada.

Yo estaba entre la multitud, pues si bien había acatado la voluntad de mi amigo no visitando a Gabriela en su prisión, creía de mi deber representar a Zarco en aquel supremo trance, acompañando a su antigua amada hasta el pie del cadalso.

Al verla aparecer, costóme trabajo reconocerla. Había enflaquecido horriblemente, y apenas tenía fuerzas para llevar a sus labios el Crucifijo, que besaba a cada momento.

—Aquí estoy, señora... ¿Puedo servir a usted de algo? —le pregunté cuando pasó cerca de mí.

Clavó en mi faz sus marchitos ojos, y cuando me hubo reconocido, exclamó:

—¡Oh! ¡Gracias! ¡Gracias! ¡Qué consuelo tan grande me proporciona usted en mi última hora! ¡Padre! —añadió, volviéndose a su confesor—: ¿Puedo hablar al paso algunas palabras con este generoso amigo?

—Sí, hija mía... —le respondió el sacerdote—; pero no deje usted de pensar en Dios...

Gabriela me preguntó entonces:

—¿Y él?

—Está ausente...

—¡Hágalo Dios muy feliz! Dígale, cuando lo vea, que me perdone, para que me perdone Dios. Dígale que todavía le amo..., aunque el amarle es causa de mi muerte...

—Quiero ver a usted resignada...

—¡Lo estoy! ¡Cuánto deseo llegar a la presencia de mi Eterno Padre! ¡Cuántos siglos pienso pasar llorando a sus pies, hasta conseguir que me reconozca como hija suya y me perdone mis muchos pecados!

Llegamos al pie de la escalera fatal...

Allí fue preciso separarnos.

Una lágrima, tal vez la última que aún quedaba en aquel corazón, humedeció los ojos de Gabriela, mientras que sus labios balbucieron esta frase:

—Dígale usted que muero bendiciéndole...

En aquel momento sintióse viva algazara entre el gentío..., hasta que al cabo percibiéronse claramente las voces de:

—¡Perdón! ¡Perdón!

Y por la ancha calle que abría la muchedumbre vióse avanzar a un hombre a caballo, con un papel en una mano y un pañuelo blanco en la otra...

¡Era Zarco!

—¡Perdón! ¡Perdón! —venía gritando también él.

Echó al fin pie a tierra, y, acompañado del jefe del cuadro, adelantóse hacia el patíbulo.

Gabriela, que ya había subido algunas gradas, se detuvo: miró intensamente a su amante, y murmuró:

—¡Bendito seas!

En seguida perdió el conocimiento.

Leído el perdón y legalizado el acto, el sacerdote y Joaquín corrieron a desatar las manos de la indultada...

Pero toda piedad era ya inútil... Gabriela Zahara estaba muerta.

XVIII

MORALEJA

Zarco es hoy uno de los mejores magistrados de La Habana.

Se ha casado, y puede considerarse feliz; porque la tristeza no es desventura cuando no se ha hecho a sabiendas daño a nadie.

El hijo que acaba de darle su amantísima esposa disipará la vaga nube de melancolía que oscurece a ratos la frente de mi amigo.

Cádiz, 1853

El extranjero

No consiste la fuerza en echar por tierra al enemigo, sino en domar la propia cólera, dice una máxima oriental.

No abuses de la victoria, añade un libro de nuestra religión.

Al culpado que cayere debajo de tu jurisdicción considérale hombre miserable, sujeto a las condiciones de la depravada naturaleza nuestra, y en todo cuanto estuviere de tu parte, sin hacer agravio a la contraria, muéstratele piadoso y clemente, porque, aunque los atributos de Dios son todos iguales, más resplandece y campea a nuestro ver el de la misericordia que el de la justicia, aconsejó, en fin, don Quijote a Sancho Panza.

Para dar realce a todas estas elevadísimas doctrinas, y cediendo también a un espíritu de equidad, nosotros, que nos complacemos frecuentemente en referir y celebrar los actos heroicos de los españoles durante la Guerra de la Independencia, y en condenar y maldecir la perfidia y crueldad de los invasores, vamos a narrar hoy un hecho que, sin entibiar en el corazón el amor a la patria, fortifica otro sentimiento no menos sublime y profundamente cristiano: el amor a nuestro prójimo; sentimiento que, si por congénita desventura de la humana especie, ha de transigir con la dura ley de la guerra, puede y debe resplandecer cuando el enemigo está humillado.

El hecho fue el siguiente, según me lo han contado personas dignas de entera fe que intervinieron en él muy de cerca y que todavía andan por el mundo. Oíd sus palabras textuales.

II

—Buenos días, abuelo... —dije yo.

—Dios guarde a usted, señorito... —dijo él.

—¡Muy solo va usted por estos caminos!...

—Sí, señor. Vengo de las minas de Linares, donde he estado trabajando algunos meses, y voy a Gádor a ver a mi familia. ¿Usted irá...?

—Voy a Almería..., y me he adelantado un poco a la galera, porque me gusta disfrutar de estas hermosas mañanas de abril. Pero, si no me engaño, usted rezaba cuando yo llegué... Puede usted continuar. Yo seguiré leyendo entre tanto, supuesto que la galera anda tan lentamente que le permite a uno estudiar en mitad de los caminos.

—¡Vamos! Ese libro es alguna historia... Y ¿quién le ha dicho a usted que yo rezaba?

—¡Toma! ¡Yo, que le he visto a usted quitarse el sombrero y santiguarse!

—Pues, ¡qué demonio!, hombre... ¿Por qué he de negarlo? Rezando iba... ¡Cada uno tiene sus cuentas con Dios!

—Es mucha verdad.

—¿Piensa usted andar largo?

—¿Yo? Hasta la venta...

—En este caso, eche usted por esa vereda y cortaremos camino.

—Con mucho gusto. Esa cañada me parece deliciosa. Bajemos a ella.

Y, siguiendo al viejo, cerré el libro, dejé el camino y descendí a un pintoresco barranco.

Las verdes tintas y diafanidad del lejano horizonte,

así como la inclinación de las montañas, indicaban ya la proximidad del Mediterráneo.

Anduvimos en silencio algunos minutos, hasta que el minero se paró de pronto.

—¡Cabales! —exclamó.

Y volvió a quitarse el sombrero y a santiguarse.

Estábamos bajo unas higueras cubiertas ya de hojas, y a la orilla de un pequeño torrente.

—¡A ver, abuelito!... —dije, sentándome sobre la hierba—. Cuénteme usted lo que ha pasado aquí.

—¡Cómo! ¿Usted sabe? —replicó él, estremeciéndose.

—Yo no sé más... —añadí con suma calma—, sino que aquí ha muerto un hombre... ¡Y de mala muerte, por más señas!

—¡No se equivoca usted, señorito! ¡No se equivoca usted! Pero ¿quién le ha dicho?...

—Me lo dicen sus oraciones de usted.

—¡Es mucha verdad! Por eso rezaba.

Yo miré tenazmente la fisonomía del minero, y comprendí que había sido siempre hombre honrado. Casi lloraba, y su rezo era tranquilo y dulce.

—Siéntese usted aquí, amigo mío... —le dije, alargándole un cigarro de papel.

—Pues verá usted, señorito... —Vaya, ¡muchas gracias! ¡Delgadillo es!...

—Reúna usted dos y resultará uno doble de grueso —añadí, dándole otro cigarro.

—¡Dios se lo pague a usted! Pues, señor... —dijo el viejo, sentándose a mi lado—, hace cuarenta y cinco años que una mañana muy parecida a ésta pasaba yo casi a esta hora por este mismo sitio...

—¡Cuarenta y cinco años! —medité yo.

Y la melancolía del tiempo cayó sobre mi alma. ¿Dónde estaban las flores de aquellas cuarenta y cinco primaveras? ¡Sobre la frente del anciano blanqueaba la nieve de setenta inviernos!

Viendo él que yo no decía nada, echó unas yescas, encendió el cigarro, y continuó de este modo:

—¡Flojillo es! Pues, señor, el día que le digo a usted venía yo de Gergal [1] con una carga de barrilla [2] y al llegar al punto en que hemos dejado el camino para tomar esta vereda me encontré con dos soldados españoles que llevaban prisionero a un polaco. En aquel entonces era cuando estaban aquí los primeros franceses, no los del año 23, sino los otros...

—¡Ya comprendo! Usted habla de la Guerra de la Independencia.

—¡Hombre! ¡Pues entonces no había usted nacido!

—¡Ya lo creo!

—¡Ah, sí! Estará apuntado en ese libro que venía usted leyendo. Pero, ¡ca!, lo mejor de estas guerras no lo rezan los libros. Ahí ponen lo que más acomoda..., y la gente se lo cree a puño cerrado. ¡Ya se ve! ¡Es necesario tener tres duros y medio de vida [3], como yo los tendré en el mes de San Juan, para saber más de cuatro cosas! En fin, el polaco aquél servía a las órdenes de Napoleón..., del bribonazo que murió ya... Porque ahora dice el señor cura que hay otro... Pero yo creo que ése no vendrá por estas tierras... ¿Qué le parece a usted, señorito?

—¿Qué quiere usted que yo le diga?

—¡Es verdad! Su merced no habrá estudiado todavía de estas cosas... ¡Oh! El señor cura, que es un sujeto muy instruido, sabe cuándo se acabarán los mamelucos de Oriente y vendrán a Gádor los rusos y moscovitas a quitar la Constitución... ¡Pero entonces ya me habré yo muerto!... Conque vuelvo a la historia de mi polaco.

El pobre hombre se había quedado enfermo en Fi-

---

[1] *Gergal*: pueblo de la provincia de Almería.

[2] *barrilla*: planta de la familia de las quenopodiáceas, cuya ceniza, llamada también barrilla, suministra la sosa.

[3] Véase nota 113.

ñana, mientras que sus compañeros fugitivos se replegaban hacia Almería. Tenía calenturas, según supe más tarde... Una vieja lo cuidaba por caridad, sin reparar que era un enemigo... (¡Muchos años de gloria llevará ya la viejecita por aquella buena acción!), y a pesar de que aquello la comprometía, guardábalo escondido en su cueva, cerca de la Alcazaba...

Allí fue donde la noche antes dos soldados españoles que iban a reunirse a su batallón, y que por casualidad entraron a encender un cigarro en el candil de aquella solitaria vivienda, descubrieron al pobre polaco, el cual, echado en un rincón, profería palabras de su idioma en el delirio de la calentura.

—¡Presentémoslo a nuestro jefe! —se dijeron los españoles—. Este bribón será fusilado mañana, y nosotros alcanzaremos un empleo.

Iwa, que así se llamaba el polaco, según me contó luego la viejecita, llevaba ya seis meses de tercianas [4], y estaba muy débil, muy delgado, casi hético [5].

La buena mujer lloró y suplicó, protestando que el extranjero no podía ponerse en camino sin caer muerto a la media hora...

Pero sólo consiguió ser apaleada, por su falta de «*patriotismo*». ¡Todavía no se me ha olvidado esta palabra, que antes no había oído pronunciar nunca!

En cuanto al polaco, figuraos cómo miraría aquella escena. Estaba postrado por la fiebre, y algunas palabras sueltas que salían de sus labios, medio polacas, medio españolas, hacían reír a los dos militares.

—¡Cállate, *didon* [6], perro, gabacho! [7] —le decían.

Y a fuerza de golpes lo sacaron del lecho.

---

[4] *tercianas*: calentura intermitente que repite cada tercer día.
[5] *hético*: tísico: También se usa para describir a una persona esquelética.
[6] *didón*: españolización peyorativa de la expresión usual en francés: ¡dis donc!: oye, mira, vaya.
[7] *gabacho*: familiar despectivo, equivalente a francés.

175

Para no cansar a usted, señorito: en aquella disposición, medio desnudo, hambriento…, bamboleándose [8], muriéndose…, ¡anduvo el infeliz cinco leguas! ¡Cinco leguas, señor!… ¿Sabe usted los pasos que tienen cinco leguas? Pues es desde Fiñana hasta aquí… ¡Y a pie!… ¡Descalzo!… ¡Figúrese usted!… ¡Un hombre fino, un joven hermoso y blanco como una mujer, un enfermo, después de seis meses de tercianas!… ¡Y con la terciana en aquel momento mismo!…

—¿Cómo pudo resistir?

—¡Ah! ¡No resistió!…

—Pero ¿cómo anduvo cinco leguas?

—¡Toma! ¡A fuerza de bayonetazos!

—Prosiga usted, abuelo… Prosiga usted.

—Yo venía por este barranco, como tengo de costumbre, para ahorrar terreno, y ellos iban por allá arriba, por el camino. Detúveme, pues, aquí mismo, a fin de observar el remate de aquella escena, mientras picaba un cigarro negro que me habían dado en las minas…

Iwa jadeaba como un perro próximo a rabiar… Venía con la cabeza descubierta, amarillo como un desenterrado, con dos rosetas encarnadas en lo alto de las mejillas y con los ojos llameantes, pero caídos… ¡hecho, en fin, un Cristo en la calle de la Amargura!…

—¡Mi querer morir! ¡Matar a mí por Dios! —balbuceaba el extranjero con las manos cruzadas.

Los españoles se reían de aquellos disparates, y le llamaban *franchute, didón* y otras cosas.

Dobláronse al fin las piernas de Iwa, y cayó redondo al suelo.

Yo respiré, porque creí que el pobre había dado el alma a Dios.

---

[8] *bambolear*: oscilar; *bamba* en Andalucía y en algunos países hispanoamericanos es sinónimo de columpio; también se dice bambalearse.

Pero un pinchazo que recibió en un hombro le hizo erguirse de nuevo.

Entonces se acercó a este barranco para precipitarse y morir...

Al impedirlo los soldados, pues no les acomodaba que muriera su prisionero, me vieron aquí con mi mulo, que, como he dicho, estaba cargado de barrilla.

—¡Eh, camarada! —me dijeron, apuntándome con los fusiles—. ¡Suba usted ese mulo!

Yo obedecí sin rechistar, creyendo hacer un favor al extranjero.

—¿Dónde va usted? —me preguntaron cuando hube subido.

—Voy a Almería —les respondí—. ¡Y eso que ustedes están haciendo es una inhumanidad!

—¡Fuera sermones! —gritó uno de los verdugos.

—¡Un arriero *afrancesado*! —dijo el otro.

—¡Charla mucho... y verás lo que te sucede!

La culata de un fusil cayó sobre mi pecho...

¡Era la primera vez que me pegaba un hombre, además de mi padre!

—¡No irritar! ¡No incomodar! —exclamó el polaco, asiéndose a mis pies, pues había caído de nuevo en tierra.

—¡Descarga la barrilla! —me dijeron los soldados.

—¿Para qué?

—Para montar en el mulo a este judío.

—Eso es otra cosa... Lo haré con mucho gusto —dije, y me puse a descargar.

—¡No!... ¡No!... ¡No!... —exclamó Iwa—. ¡Tú dejar que me maten!

—¡Yo no quiero que te maten, desgraciado! —exclamé, estrechando las ardientes manos del joven.

—¡Pero mi sí querer! ¡Matar tú a mí por Dios!...

—¿Quieres que yo te mate?

—¡Sí..., sí..., hombre bueno! ¡Sufrir mucho!

Mis ojos se llenaron de lágrimas.

177

Volvíme a los soldados, y les dije con tono de voz que hubiera conmovido a una piedra:

—¡Españoles, compatriotas, hermanos! Otro español, que ama tanto como el que más a nuestra patria, es quien os suplica... ¡Dejadme solo con este hombre!

—¡No digo que es *afrancesado!* —exclamó uno de ellos.

—¡Arriero del diablo —dijo el otro—, cuidado con lo que dices! ¡Mira que te rompo la crisma!

—¡Militar de los demonios —contesté con la misma fuerza—, yo no temo a la muerte! ¡Sois dos infames sin corazón! Sois dos hombres fuertes y armados contra un moribundo inerme... ¡Sois unos cobardes! Dadme uno de esos fusiles y pelearé con vosotros hasta mataros o morir..., pero dejad a este pobre enfermo, que no puede defenderse. ¡Ay! —continué, viendo que uno de aquellos tigres se ruborizaba—, si, como yo, tuviéseis hijos; si pensárais que tal vez mañan se verán en la tierra de este infeliz, en la misma situación que él, solos, moribundos, lejos de sus padres; si reflexionárais en que este polaco no sabe siquiera lo que hace en España, en que será un quinto robado a su familia para servir a la ambición de un rey..., ¡qué diablo!, vosotros lo perdonaríais... ¡Sí, porque vosotros sois hombres antes que españoles, y este polaco es un hombre, un hermano vuestro! ¿Qué ganará España con la muerte de un tercianario? ¡Batíos hasta morir con todos los granaderos de Napoleón; pero que sea en el campo de batalla! Y perdonad al débil; ¡sed generosos con el vencido; sed cristianos; no seáis verdugos!

—¡Basta de letanías! —dijo el que siempre había llevado la iniciativa de la crueldad, el que hacía andar a Iwa a fuerza de bayonetazos, el que quería comprar un empleo al precio de su cadáver.

—Compañero, ¿qué hacemos? —preguntó el otro, medio conmovido con mis palabras.

—¡Es muy sencillo! —repuso el primero—. ¡Mira!

Y sin darme tiempo, no digo de evitar, sino de prever sus movimientos, descerrajó un tiro sobre el corazón del polaco.

Iwa me miró con ternura, no sé si antes o después de morir.

Aquella mirada me prometió el cielo, donde acaso estaba ya el mártir.

En seguida los soldados me dieron una paliza con las baquetas de los fusiles.

El que había matado al extranjero le cortó una oreja, que guardó en el bolsillo.

¡Era la credencial del empleo que deseaba!

Después desnudó a Iwa, y le robó... hasta cierto medallón (con un retrato de mujer o de santa) que llevaba al cuello.

Entonces se alejaron hacia Almería.

Yo enterré a Iwa en este barranco..., ahí..., donde está usted sentado..., y me volví a Gérgal, porque conocí que estaba malo.

Y con efecto, aquel lance me costó una terrible enfermedad, que me puso a las puertas de la muerte.

—¿Y no volvió usted a ver a aquellos soldados? ¿No sabe usted cómo se llamaban?

—No, señor; pero por las señas que me dio más tarde la viejecita que cuidó al polaco supe que uno de los dos españoles tenía el apodo de *Risas,* y que aquél era justamente el que había matado y robado al pobre extranjero...

En esto nos alcanzó la galera: el viejo y yo subimos al camino, nos apretamos la mano y nos despedimos muy contentos el uno del otro.

¡Habíamos llorado juntos!

III

Tres noches después tomábamos café varios amigos en el precioso casino de Almería.

Cerca de nosotros, y alrededor de otra mesa, se hallaban dos viejos militares retirados, comandante el uno y coronel el otro, según dijo alguno que los conocía.

A pesar nuestro, oíamos su conversación, pues hablaban tan alto como suelen los que han mandado mucho.

De pronto hirió mis oídos y llamó mi atención esta frase del coronel:

—El pobre *Risas...*

—¡*Risas!* —exclamé para mí.

Y me puse a escuchar de intento.

—El pobre *Risas...* —decía el coronel— fue hecho prisionero por los franceses cuando tomaron a Málaga [9] y de depósito en depósito, fue a parar nada menos que a Suecia, donde yo estaba también cautivo, como todos los que no pudimos escaparnos con el Marqués de la Romana. Allí lo conocí, porque intimó con Juan, mi asistente de toda la vida, o de toda mi carrera; y cuando Napoleón tuvo la crueldad de llevar a Rusia, formando parte de su Grande Ejército [10], a todos los españoles que estábamos prisioneros en su poder, tomé de ordenanza a *Risas.* Entonces me enteré de que tenía un miedo cerval a los polacos, o un terror supersticioso a Polonia, pues no hacía más que preguntarnos a Juan y a mí «si tendríamos que pasar por aquella tierra para ir a Rusia», estremeciéndose a la idea de

---

[9] Los franceses tomaron Málaga en 1810, en su rápida conquista de Andalucía.

[10] *Grande Ejército:* «La Grande Armée», ejército formado por Napoleón en 1812 para la marcha sobre Rusia, en donde fue derrotado.

que tal llegase a acontecer. Indudablemente, a aquel hombre, cuya cabeza no estaba muy firme, por lo mucho que había abusado de las bebidas espirituosas, pero que en lo demás era un buen soldado y un mediano cocinero, le había ocurrido algo grave con algún polaco, ora en la guerra de España, ora en su larga peregrinación por otras naciones. Llegados a Varsovia, donde nos detuvimos algunos días, *Risas* se puso gravemente enfermo, de fiebre cerebral, por resultas del terror pánico que le había acometido desde que entramos en tierra polonesa, y yo, que le tenía ya cierto cariño, no quise dejarlo allí solo cuando recibimos la orden de marcha, sino que conseguí de mis jefes que Juan se quedase en Varsovia cuidándolo, sin perjuicio de que, resuelta aquella crisis de un modo o de otro, saliese luego en mi busca con algún convoy de equipajes y víveres, de los muchos que seguirían a la nube de gente en que mi regimiento figuraba a vanguardia. ¡Cuál fue, pues, mi sorpresa cuando el mismo día que nos pusimos en camino, y a las pocas horas de haber echado a andar, se me presentó mi antiguo asistente, lleno de terror, y me dijo lo que acababa de suceder con el pobre *Risas!* ¡Dígole a usted que el caso es de lo más singular y estupendo que haya ocurrido nunca! Oígame y verá si hay o no motivo para que yo haya olvidado esta historia en cuarenta y dos años. Juan había buscado un buen alojamiento para cuidar a *Risas* en casa de cierta labradora viuda, con tres hijas casaderas, que desde que llegamos a Varsovia los españoles no había dejado de preguntarnos a todos, por medio de intérpretes franceses, si sabíamos algo de un hijo suyo llamado Iwa, que vino a la guerra de España en 1808 y de quien hacía tres años no tenía noticia alguna, cosa que no pasaba a las demás familias que se hallaban en idéntico caso. Como Juan era tan zalamero, halló modo de consolar y esperanzar a aquella triste madre, y de aquí el que, en recompensa, ella se brindara a cuidar a

181

Risas al verlo caer en su presencia atacado de la fiebre cerebral... Llegados a casa de la buena mujer, y estando ésta ayudando a desnudar al enfermo, Juan la vio palidecer de pronto y apoderarse convulsivamente de cierto medallón de plata, con una efigie o retrato en miniatura, que *Risas* llevaba siempre al pecho, bajo la ropa, a modo de talismán o conjuro contra los polacos, por creer que representaba a una Virgen o Santa de aquel país.

—¡Iwa! ¡Iwa! —gritó después la viuda de un modo horrible, sacudiendo al enfermo, que nada entendía, aletargado como estaba por la fiebre.

En esto acudieron las hijas, y enteradas del caso, cogieron el medallón, lo pusieron al lado del rostro de su madre, llamando por medio de señas la atención de Juan para que viese, como vio, que la tal efigie no era más que el retrato de aquella mujer, y encarándose entonces con él, visto que su compatriota no podía responderles, comenzaron a interrogarle mil cosas con palabras ininteligibles, bien que con gestos y ademanes que revelaban claramente la más siniestra furia. Juan se encogió de hombros, dando a entender por señas que él no sabía nada de la procedencia de aquel retrato ni conocía a *Risas* más que de muy poco tiempo... El noble semblante de mi honradísimo asistente debió de probar a aquellas cuatro leonas encolerizadas que el pobre no era culpable... ¡Además, él no llevaba el medallón! Pero el otro... ¡al otro, al pobre *Risas*, lo mataron a golpes y lo hicieron pedazos con las uñas! Es cuanto sé con relación a este drama, pues nunca he podido averiguar por qué tenía *Risas* aquel retrato.

—Permítame usted que se lo cuente yo... —dije sin poder contenerme.

Y acercándome a la mesa del coronel y del comandante, después de ser presentado a ellos por mis amigos, les referí a todos la espantosa narración del minero.

Luego que concluí, el comandante, hombre de más de setenta años, exclamó con la fe sencilla del antiguo militar, con el arranque de un buen español y con toda la autoridad de sus canas:

—¡Vive Dios, señores, que en todo eso hay algo más que una casualidad!

Almería, 1854.

La mujer alta

CUENTO DE MIEDO

I

—¡Qué sabemos! Amigos míos..., ¡qué sabemos!
—exclamó Gabriel, distinguido ingeniero de Montes,
sentándose debajo de un pino y cerca de una fuente,
en la cumbre del Guadarrama, a legua y media de El
Escorial, en el límite divisorio de las provincias de
Madrid y Segovia; sitio y fuente y pino que yo conozco y me parece estar viendo, pero cuyo nombre
se me ha olvidado—. Sentémonos, como es de rigor
y *está escrito*..., en nuestro programa —continuó Gabriel—, a descansar y hacer por la vida en este ame-
no y clásico paraje, famoso por la virtud digestiva
del agua de ese manantial y por los muchos borregos
que aquí se han comido nuestros ilustres maestros
don Miguel Rosch, don Máximo Laguna, don Agustín Pascual y otros grandes naturalistas; os contaré
una rara y peregrina historia en comprobación de mi
tesis..., reducida a manifestar, aunque me llaméis os-
curantista, que en el globo terráqueo ocurren todavía
cosas sobrenaturales: esto es, cosas que no caben en la
cuadrícula de la razón, de la ciencia ni de la filosofía,
tal y como hoy se entienden (o no se entienden) semejantes, *palabras, palabras* y *palabras*, que diría
Hamlet...
Enderezaba Gabriel este pintoresco discurso a cinco
sujetos de diferente edad, pero ninguno joven, y sólo
uno entrado ya en años; también ingenieros de Montes tres de ellos, pintor el cuarto y un poco literato el
quinto; todos los cuales habían subido con el orador,

que era el más pollo, en sendas burras de alquiler, desde el Real Sitio de San Lorenzo, a pasar aquel día herborizando en los hermosos pinares de Peguerinos, cazando mariposas por medio de mangas de tul, cogiendo coleópteros raros bajo la corteza de los pinos enfermos y comiéndose una carga de víveres fiambres pagados a escote.

Sucedía esto en 1875, y era en el rigor del estío; no recuerdo si el día de Santiago o el de San Luis... Inclínome a creer el de San Luis. Como quiera que fuese, gozábase en aquellas alturas de un fresco delicioso, y el corazón, el estómago y la inteligencia funcionaban allí mejor que en el mundo social y la vida ordinaria...

Sentado que se hubieron [1] los seis amigos, Gabriel continuó hablando de esta manera:

—Creo que no me tacharéis de visionario... Por fortuna o desgracia mía, soy, digámoslo así, un hombre a la moderna, nada supersticioso, y tan *positivista* como el que más, bien que incluya entre los datos *positivos* de la Naturaleza todas las misteriosas facultades y emociones de mi alma en materias de sentimiento... Pues bien: a propósito de fenómenos sobrenaturales o *extranaturales,* oíd lo que yo he oído y ved lo que yo he visto, aun sin ser el verdadero héroe de la singularísima historia que voy a contar; y decidme en seguida qué explicación terrestre, física, natural, o como queramos llamarla, puede darse a tan maravilloso acontecimiento.

—El caso fue como sigue... ¡A ver! ¡Echar una gota, que ya se habrá refrescado el *pellejo* dentro de esa bullidora y cristalina fuente, colocada por Dios en esta pinífera cumbre para enfriar el vino de los botánicos!

---

[1] *Sentado que se hubieron...* forma anticuada y retórica en que se produce una elipsis (una vez que, después que se hubieron sentado...). También hay transposición del participio.

—Pues, señor, no sé si habréis oído hablar de un ingeniero de Caminos llamado Telesforo X..., que murió en 1860...

—Yo no...

—¡Yo sí!

—Yo también: un muchacho andaluz, con bigote negro, que estuvo para casarse con la hija del marqués de Moreda..., y que murió de ictericia...

—¡Ése mismo! —continuó Gabriel—. Pues bien: mi amigo Telesforo, medio año antes de su muerte, era todavía un joven brillantísimo, como se dice ahora. Guapo, fuerte, animoso, con la aureola de haber sido el primero de su promoción en la Escuela de Caminos, y acreditado ya en la práctica por la ejecución de notables trabajos, disputábanselo varias empresas particulares en aquellos años de oro de las obras públicas [2], y también se lo disputaban las mujeres por casar o mal casadas, y, por supuesto, las viudas impenitentes, y entre ellas alguna muy buena moza que... Pero la tal viuda no viene ahora a cuento, pues a quien Telesforo quiso con toda formalidad fue a su citada novia, la pobre Joaquinita Moreda, y lo otro no pasó de un amorío puramente *usufructuario*...

—¡Señor don Gabriel, al orden!

—Sí..., sí, voy al orden, pues ni mi historia ni la controversia pendiente se prestan a chanzas ni donaires. Juan, échame otro medio vaso... ¡Bueno está de verdad este vino! Conque atención y poneos serios, que ahora comienza lo luctuoso.

---

[2] Parece referirse a los años que van desde 1841 a 1856 en que se prestó especial atención a las obras públicas: regadíos, canales, como el de Castilla y el de Isabel II, y carreteras.

Sucedió, como sabréis los que la conocisteis, que Joaquina murió de repente en los baños de Santa Águeda al fin del verano de 1859... Hallábame yo en Pau cuando me dieron tan triste noticia, que me afectó muy especialmente por la íntima amistad que me unía a Telesforo... A ella sólo le había hablado una vez, en casa de su tía la generala López, y por cierto que aquella palidez azulada, propia de las personas que tienen una aneurisma[3], me pareció desde luego indicio de mala salud... Pero, en fin, la muchacha valía cualquier cosa por su distinción, hermosura y garbo; y como además era hija única de título, y de título que llevaba anejos algunos millones, conocí que mi buen matemático estaría inconsolable... Por consiguiente, no bien me hallé de regreso en Madrid, a los quince o veinte días de su desgracia, fui a verlo una mañana muy temprano a su elegante habitación de mozo de casa abierta y de jefe de oficina, calle del Lobo... No recuerdo el número, pero sí que era muy cerca de la Carrera de San Jerónimo.

Contristadísimo, bien que grave y en apariencia dueño de su dolor, estaba el joven ingeniero trabajando ya a aquella hora con sus ayudantes en no sé qué proyecto de ferrocarril, y vestido de riguroso luto. Abrazóme estrechísimamente y por largo rato, sin lanzar ni el más leve suspiro; dio en seguida algunas instrucciones sobre el trabajo pendiente a uno de sus ayudantes, y condújome, en fin, a su despacho particular, situado al extremo opuesto de la casa, diciéndome por el camino con acento lúgubre y sin mirarme:

—Mucho me alegro de que hayas venido... Varias veces te he echado de menos en el estado en que me hallo... Ocúrreme una cosa muy particular y extraña, que sólo un amigo como tú podría oír sin conside-

[3] *aneurisma*: tumor que se forma al resquebrajarse las paredes de las arterias.

rarme imbécil o loco, y acerca de la cual necesito oír alguna opinión serena y fría como la ciencia... Siéntate... —prosiguió diciendo, cuando hubimos llegado a su despacho—, y no temas en manera alguna que vaya a angustiarte describiéndote el dolor que me aflige, y que durará tanto como mi vida... ¿Para qué? ¡Tú te lo figurarás fácilmente a poco que entiendas de cuitas humanas, y yo no quiero ser consolado ni ahora, ni después, ni nunca! De lo que te voy a hablar con la detención que requiere el caso, o sea tomando el asunto desde su origen, es de una circunstancia horrenda y misteriosa que ha servido como de agüero infernal a esta desventura, y que tiene conturbado mi espíritu hasta un extremo que te dará espanto...

—¡Habla! —respondí yo, comenzando a sentir, en efecto, no sé qué arrepentimiento de haber entrado en aquella casa, al ver la expresión de cobardía que se pintó en el rostro de mi amigo.

—Oye... —repuso él, enjugándose la sudorosa frente.

III

No sé si por fatalidad innata de mi imaginación, o por vicio adquirido al oír alguno de aquellos cuentos de vieja con que tan imprudentemente se asusta a los niños en la cuna, el caso es que desde mis tiernos años no hubo cosa que me causase tanto horror y susto, ya me la figurara mentalmente, ya me la encontrase en realidad, como una mujer sola, en la calle, a las altas horas de la noche.

Te consta que nunca he sido cobarde. Me batí en duelo, como cualquier hombre decente [4], cierta vez que

---

[4] Con esta afirmación acaso recuerda el autor una experiencia propia e identifica, curiosamente, la decencia con el duelo.

fue necesario, y recién salido de la Escuela de Ingenieros, cerré a palos y a tiros en Despeñaperros con mis sublevados peones, hasta que los reduje a la obediencia [5]. Toda mi vida, en Jaén, en Madrid y en otros varios puntos, he andado a deshora por la calle, solo, sin armas, atento únicamente al cuidado amoroso que me hacía velar, y si por acaso he topado con bultos de mala catadura, fueran ladrones o simples perdonavidas, a ellos les ha tocado huir o echarse a un lado, dejándome libre el mejor camino... Pero si el bulto era una mujer sola, parada o andando, y yo iba también solo, y no se veía más alma viviente por ningún lado... entonces (ríete si se te antoja, pero créeme) poníaseme carne de gallina; vagos temores asaltaban mi espíritu; pensaba en almas del otro mundo, en seres fantásticos, en todas las invenciones supersticiosas que me hacían reír en cualquier otra circunstancia, y apretaba el paso, o me volvía atrás, sin que ya se me quitara el susto ni pudiera distraerme ni un momento hasta que me veía dentro de mi casa.

Una vez en ella, echábame también a reír y avergonzábame de mi locura, sirviéndome de alivio el pensar que no la conocía nadie. Allí me daba cuenta fríamente de que, pues yo no creía en duendes, ni en brujas, ni en aparecidos, nada había debido temer de aquella flaca hembra, a quien la miseria, el vicio o algún accidente desgraciado tendrían a tal hora fuera de su hogar, y a quien mejor me hubiera estado ofre-

---

[5] En este párrafo se observa: 1.º, el uso del infinitivo *cerrar* seguido de la preposición *con*, en el sentido de acometer, atacar; 2.º, el posible fondo histórico del hecho que se refiere, ya que en Andalucía, entre los años 50 y 61, se produjeron numerosos motines e insurrecciones de campesinos y peones que fueron manifestación de un cierto «socialismo indígena», y 3.º, con el hecho se señala el carácter jactancioso e insolente del señorito ingeniero. Véase J. Díaz del Moral, *Historia de las agitaciones campesinas andaluzas*, *Revista de Derecho Privado*, capítulo IV, Madrid, 1929.

cer auxilio por si lo necesitaba, o dar limosna si me la pedía... Repetíase, con todo, la deplorable escena cuantas veces se me presentaba otro caso igual, ¡y cuenta que ya tenía yo veinticinco años, muchos de ellos de aventurero nocturno, sin que jamás me hubiese ocurrido lance alguno penoso con las tales mujeres solitarias y trasnochadoras!... Pero, en fin, nada de lo dicho llegó nunca a adquirir verdadera importancia, pues aquel pavor irracional se me disipaba siempre tan luego como llegaba a mi casa o veía otras personas en la calle, y ni tan siquiera lo recordaba a los pocos minutos, como no se recuerdan las equivocaciones o necedades sin fundamento ni consecuencia.

Así las cosas, hace muy cerca de tres años... (desgraciadamente, tengo varios motivos para poder fijar la fecha: ¡la noche del 15 al 16 de noviembre de 1857!) volvía yo, a las tres de la madrugada, a aquella casita de la calle de Jardines, cerca de la calle de la Montera, en que recordarás viví por entonces... Acababa de salir, a hora tan avanzada, y con un tiempo feroz de viento y frío, no de ningún nido amoroso, sino de... (te lo diré, aunque te sorprenda), de una especie de casa de juego, no conocida bajo este nombre por la policía, pero donde ya se habían arruinado muchas gentes, y a la cual me habían llevado a mí aquella noche por primera... y última vez. Sabes que nunca he sido jugador; entré allí engañado por un mal amigo, en la creencia de que todo iba a reducirse a trabar conocimiento con ciertas damas elegantes, de virtud equívoca (*demi-monde* puro), so pretexto de jugar algunos maravedises al *Enano* [6], en mesa redonda, con faldas de bayeta; y el caso fue que a eso de las doce comenzaron a llegar nuevos tertulios, que iban del teatro Real o de salones verdaderamente aristocráticos, y mudóse de juego, y salieron a relucir monedas de oro, después billetes y luego bonos escritos

---

[6] *Enano*: juego de cartas de origen francés: «le nain jaune».

con lápiz, y yo me enfrasqué poco a poco en la selva oscura del vicio, llena de fiebres y tentaciones, y perdí todo lo que llevaba, y todo lo que poseía, y aun quedé debiendo un dineral... con el *pagaré* correspondiente. Es decir, que me arruiné por completo, y que, sin la herencia y los grandes negocios que tuve en seguida, mi situación hubiera sido muy angustiosa y apurada.

Volvía yo, digo, a mi casa aquella noche, tan a deshora, yerto de frío, hambriento, con la vergüenza, y el disgusto que puedes suponer, pensando, más que en mí mismo, en mi anciano y enfermo padre, a quien tendría que escribir pidiéndole dinero, lo cual no podría menos de causarle tanto dolor como asombro, pues me consideraba en muy buena y desahogada posición..., cuando, a poco de penetrar en mi calle por el extremo que da a la de Peligros, y al pasar por delante de una casa recién construida de la acera que yo llevaba, advertí que en el hueco de su cerrada puerta estaba de pie, inmóvil y rígida, como si fuese de palo, una mujer muy alta y fuerte, como de sesenta años de edad, cuyos malignos y audaces ojos sin pestañas se clavaron en los míos como dos puñales, mientras que su desdentada boca me hizo una mueca horrible por vía de sonrisa...

El propio terror o delirante miedo que se apoderó de mí instantáneamente dióme no sé qué percepción maravillosa para distinguir de golpe, o sea en dos segundos que tardaría en pasar rozando con aquella repugnante visión, los pormenores más ligeros de su figura y de su traje... Voy a ver si coordino mis impresiones del modo y forma que las recibí, y tal y como se grabaron para siempre en mi cerebro a la mortecina luz del farol que alumbró con infernal relámpago tan fatídica escena...

Pero me excito demasiado, ¡aunque no sin motivo,

como verás más adelante! Descuida, sin embargo, por el estado de mi razón... ¡Todavía no estoy loco!

Lo primero que me chocó en aquella que denominaré *mujer* fue su elevadísima talla y la anchura de sus descarnados hombros; luego, la redondez y fijeza de sus marchitos ojos de búho, la enormidad de su saliente nariz y la gran mella central de su dentadura, que convertía su boca en una especie de oscuro agujero, y, por último, su traje de mozuela del Avapiés, el pañolito nuevo de algodón que llevaba a la cabeza, atado debajo de la barba, y un diminuto abanico abierto que tenía en la mano, y con el cual se cubría, afectando pudor, el centro del talle.

¡Nada más ridículo y tremendo, nada más irrisorio y sarcástico que aquel abaniquillo en unas manos tan enormes, sirviendo como de cetro de debilidad a giganta tan fea, vieja y huesuda! Igual efecto producía el pañolejo de vistoso percal que adornaba su cara, comparado con aquella nariz de tajamar [7], aguileña, masculina, que me hizo creer un momento (no sin regocijo) si se trataría de un hombre disfrazado... Pero su cínica mirada y asquerosa sonrisa eran de vieja, de bruja, de hechicera, de Parca..., ¡no sé de qué! ¡De algo que justificaba plenamente la aversión y el susto que me habían causado toda mi vida las mujeres que andaban solas, de noche, por la calle!... ¡Dijérase que, desde la cuna, había presentido yo aquel encuentro! ¡Dijérase que lo temía por instinto, como cada ser animado teme y adivina, y ventea, y reconoce a su antagonista natural antes de haber recibido de él ninguna ofensa, antes de haberlo visto, sólo con sentir sus pisadas!

No eché a correr en cuanto vi a la esfinge de mi vida, menos por vergüenza o varonil decoro, que por

---

[7] *tajamar*: tablón grande y curvo que sirve para cortar el agua cuando marcha el barco. En sentido figurado: nariz grande y curva.

195

temor a que mi propio miedo le revelase quién era yo, o le diese alas para seguirme, para acometerme, para... ¡no sé! ¡Los peligros que sueña el pánico no tienen forma ni nombre traducibles!

Mi casa estaba al extremo opuesto de la prolongada y angosta calle en que me hallaba yo solo, enteramente solo con aquella misteriosa estantigua [8], a quien creía capaz de aniquilarme con una palabra... ¿Qué hacer para llegar hasta allí? ¡Ah! ¡Con qué ansia veía a lo lejos la anchurosa y muy alumbrada calle de la Montera, donde a todas horas hay agentes de la autoridad!

Decidí, pues, sacar fuerzas de flaqueza; disimular y ocultar aquel pavor miserable; no acelerar el paso, pero ganar siempre terreno, aun a costa de años de vida y de salud, y de esta manera poco a poco, irme acercando a mi casa, procurando muy especialmente no caerme antes redondo al suelo.

Así caminaba...; así habría andado ya lo menos veinte pasos desde que dejé atrás la puerta en que estaba escondida la mujer del abanico, cuando de pronto me ocurrió una idea horrible, espantosa, y, sin embargo, muy racional: ¡la idea de volver la cabeza a ver si me seguía mi enemiga!

—Una de dos... —pensé con la rapidez del rayo—: o mi terror tiene fundamento o es una locura; si tiene fundamento, esa mujer habrá echado detrás de mí, estará alcanzándome y no hay salvación para mí en el mundo... Y si es una locura, una aprensión, un pánico como cualquier otro, me convenceré de ello en el presente caso y para todos los que me ocurran, al ver que esa pobre anciana se ha quedado en el hueco de aquella puerta preservándose del frío o esperando a que le abran; con lo cual yo podré seguir marchan-

---

[8] *estantigua*: fig. y fam.: persona muy alta y seca, mal vestida.

do hacia mi casa muy tranquilamente y me habré curado de una manía que tanto me abochorna.

Formulado este razonamiento, hice un esfuerzo extraordinario y volví la cabeza.

¡Ah! ¡Gabriel! ¡Gabriel! ¡Qué desventura! ¡La mujer alta me había seguido con sordos pasos, estaba encima de mí, casi me tocaba con el abanico, casi asomaba su cabeza sobre mi hombro!

¿Por qué? ¿Para qué, Gabriel mío? ¿Era una ladrona? ¿Era efectivamente un hombre disfrazado? ¿Era una vieja irónica, que había comprendido que le tenía miedo? ¿Era el espectro de mi propia cobardía? ¿Era el fantasma burlón de las decepciones y deficiencias humanas?

¡Interminable sería decirte todas las cosas que pensé en un momento! El caso fue que di un grito y salí corriendo como un niño de cuatro años que juzga ver al coco y que no dejé de correr hasta que desemboqué en la calle de la Montera...

Una vez allí, se me quitó el miedo como por ensalmo. ¡Y eso que la calle de la Montera estaba también sola! Volví, pues, la cabeza hacia la de Jardines, que enfilaba en toda su longitud, y que estaba suficientemente alumbrada por sus tres faroles y por un reverbero de la calle de Peligros, para que no se me pudiese oscurecer la *mujer alta* si por acaso había retrocedido en aquella dirección, y ¡vive el cielo que no la vi parada, ni andando, ni en manera alguna!

Con todo, guardéme muy bien de penetrar de nuevo en mi calle.

«¡Esa bribona —me dije— se habrá metido en el hueco de otra puerta!... Pero mientras sigan alumbrando los faroles no se moverá sin que yo no lo note desde aquí...»

En esto vi aparecer a un sereno por la calle del Caballero de Gracia, y lo llamé sin desviarme de mi sitio: díjele, para justificar la llamada y excitar su

197

celo, que en la calle de Jardines había un hombre vestido de mujer; que entrase en dicha calle por la de Peligros, a la cual debía dirigirse por la de la Aduana; que yo permanecería quieto en aquella otra salida y que con tal medio no podría escapársenos el que a todas luces era un ladrón o un asesino.

Obedeció el sereno; tomó por la calle de la Aduana, y cuando yo vi avanzar su farol por el otro lado de la de Jardines, penetré también en ella resueltamente.

Pronto nos reunimos en su promedio, sin que ni el uno ni el otro hubiésemos encontrado a nadie, a pesar de haber registrado puerta por puerta.

—Se habrá metido en alguna casa... —dijo el sereno.

—¡Eso será! —respondí yo abriendo la puerta de la mía, con firme resolución de mudarme a otra calle al día siguiente.

Pocos momentos después hallábame dentro de mi cuarto tercero, cuyo picaporte [9] llevaba también siempre conmigo, a fin de no molestar a mi buen criado José.

¡Sin embargo, éste me aguardaba aquella noche! ¡Mis desgracias del 15 al 16 de noviembre no habían concluido!

—¿Qué ocurre? —le pregunté con extrañeza.

—Aquí ha estado —me respondió visiblemente conmovido—, esperando a usted desde las once hasta las dos y media, el señor comandante Falcón, y me ha dicho que, si venía usted a dormir a casa, no se desnudase, pues él volvería al amanecer...

Semejantes palabras me dejaron frío de dolor y espanto, cual si me hubieran notificado mi propia muerte... Sabedor yo de que mi amadísimo padre, residente en Jaén, padecía aquel invierno frecuentes y peligro-

---

[9] Sinónimo de llavín.

sísimos ataques de su crónica enfermedad, había escrito a mis hermanos que en el caso de un repentino desenlace funesto telegrafiasen al comandante Falcón, el cual me daría la noticia de la manera más conveniente... ¡No me cabía, pues, duda de que mi padre había fallecido!

Sentéme en una butaca a esperar el día y a mi amigo, y con ellos la noticia oficial de tan grande infortunio, y ¡Dios sólo sabe cuánto padecí en aquellas dos horas de cruel expectativa, durante las cuales (y es lo que tiene relación con la presente historia) no podía separar en mi mente tres ideas distintas, y al parecer heterogéneas, que se empeñaban en formar monstruoso y tremendo grupo: mi pérdida al juego, el encuentro con la *mujer alta* y la muerte de mi honrado padre!

A las seis en punto penetró en mi despacho el comandante Falcón, y me miró en silencio...

Arrojéme en sus brazos llorando desconsoladamente, y él exclamó acariciándome:

—¡Llora, sí, hombre, llora! ¡Y ojalá ese dolor pudiera sentirse muchas veces!

IV

—Mi amigo Telesforo —continuó Gabriel después que hubo apurado otro vaso de vino— descansó también un momento al llegar a este punto, y luego prosiguió en los términos siguientes:

—Si mi historia terminara aquí, acaso no encontrarías nada de extraordinario ni sobrenatural en ella, y podrías decirme lo mismo que por entonces me dijeron dos hombres de mucho juicio a quienes se la conté: que cada persona de viva y ardiente imaginación tiene su terror pánico; que el mío, eran las trasnochadoras solitarias, y que la vieja de la calle de Jardines no pasaría de ser una pobre sin casa ni hogar, que iba a pedirme limosna cuando yo lancé el grito y salí corriendo, o bien una repugnante Celestina de aquel barrio, no muy católico en materia de amores...

También quise creerlo yo así; también lo llegué a creer al cabo de algunos meses; no obstante lo cual hubiera dado entonces años de vida por la seguridad de no volver a encontrarme a *la mujer alta*. ¡En cambio, hoy daría toda mi sangre por encontrármela de nuevo!

—¿Para qué?

—¡Para matarla en el acto!

—No te comprendo...

—Me comprenderás si te digo que volví a tropezar con ella hace tres semanas, pocas horas antes de recibir la nueva fatal de la muerte de mi pobre Joaquina...

—Cuéntame..., cuéntame...

—Poco más tengo que decirte. Eran las cinco de la madrugada; volvía yo de pasar la última noche, no diré de amor, sino de amarguísimos lloros y desgarradora contienda, con mi antigua querida la viuda de T..., ¡de quien érame ya preciso separarme por haberse publicado mi casamiento con la otra infeliz a quien estaban enterrando en Santa Águeda a aquella misma hora!

Todavía no era día completo; pero ya clareaba el alba en las calles enfiladas hacia Oriente. Acababan de apagar los faroles, y habíanse retirado los serenos, cuando, al ir a cortar la calle del Prado, o sea a pasar de una a otra sección de la calle del Lobo, cruzó por delante de mí, como viniendo de la plaza de las Cortes y dirigiéndose a la de Santa Ana, la espantosa mujer de la calle de Jardines.

No me miró, y creí que no me había visto... Llevaba la misma vestimenta y el mismo abanico que hace tres años... ¡Mi azoramiento y cobardía fueron mayores que nunca! Corté rapidísimamente la calle del Prado, luego que ella pasó, bien que sin quitarle ojo, para asegurarme que no volvía la cabeza, y cuando hube penetrado en la otra sección de la calle del Lobo, respiré como si acabara de pasar a nado una impetuosa corriente, y apresuré de nuevo mi marcha hacia acá con más regocijo que miedo, pues consideraba vencida y anulada a la odiosa bruja, en el mero hecho de haber estado tan próximo de ella sin que me viese...

De pronto, y cerca ya de esta mi casa, acometióme como un vértigo de terror pensando en si la muy taimada vieja me habría visto y conocido; en si se habría hecho la desentendida para dejarme penetrar en la todavía oscura calle del Lobo y asaltarme allí impunemente; en si vendría tras de mí; en si ya la tendría encima...

Vuélvome en esto..., y ¡allí estaba! ¡Allí, a mi espalda, casi tocándome con sus ropas, mirándome con sus viles ojuelos, mostrándome la asquerosa mella de su dentadura, abanicándose irrisoriamente, como si se burlara de mi pueril espanto!...

Pasé del terror a la más insensata ira, a la furia salvaje de la desesperación, y arrojéme sobre el corpulento vejestorio; tiréle contra la pared, echándole una mano a la garganta, y con la otra, ¡qué asco!, púseme a palpar su cara, su seno, el lío ruin de sus cabellos sucios, hasta que me convencí juntamente de que era criatura humana y mujer.

Ella había lanzado entretanto un aullido ronco y agudo al propio tiempo que me pareció falso, o fingido, como expresión hipócrita de un dolor y de un miedo que no sentía, y luego exclamó, haciendo como que lloraba, pero sin llorar, antes bien mirándome con ojos de hiena:

—¿Por qué la ha tomado usted conmigo?

Esta frase aumentó mi pavor y debilitó mi cólera.

—¡Luego usted recuerda —grité— haberme visto en otra parte!

—¡Ya lo creo, alma mía! —respondió sardónicamente—. ¡La noche de San Eugenio, en la calle de Jardines, hace tres años!...

Sentí frío dentro de los tuétanos.

—Pero, ¿quién es usted? —le dije sin soltarla—. ¿Por qué corre detrás de mí? ¿Qué tiene usted que ver conmigo?

—Yo soy una débil mujer... —contestó diabólicamente—. ¡Usted me odia y me teme sin motivo!... Y si no, dígame usted, señor caballero: ¿por qué se asustó de aquel modo la primera vez que me vio?

—¡Porque la aborrezco a usted desde que nací! ¡Porque es usted el demonio de mi vida!

—¿De modo que usted me conocía hace mucho tiempo? ¡Pues mira, hijo, yo también a ti!

—¡Usted me conocía! ¿Desde cuándo?

—¡Desde antes que nacieras! Y cuando te vi pasar junto a mí hace tres años, me dije a mí misma: «¡Éste es!»

—Pero ¿quién soy yo para usted? ¿Quién es usted para mí?

—¡El demonio! —respondió la vieja escupiéndome en mitad de la cara, librándose de mis manos y echando a correr velocísimamente con las faldas levantadas hasta más arriba de las rodillas y sin que sus pies moviesen ruido alguno al tocar la tierra...

¡Locura intentar alcanzarla!... Además, por la Carrera de San Jerónimo pasaba ya alguna gente, y por la calle del Prado también. Era completamente de día. La *mujer alta* siguió corriendo, o volando, hasta la calle de las Huertas, alumbrada ya por el sol; paróse allí a mirarme; amenazóme una y otra vez esgrimiendo el abaniquillo cerrado, y desapareció detrás de una esquina...

¡Espera otro poco, Gabriel! ¡No falles todavía este pleito, en que se juegan mi alma y mi vida! ¡Óyeme dos minutos más!

202

Cuando entré en mi casa me encontré con el coronel Falcón, que acababa de llegar para decirme que mi Joaquina, mi novia, toda mi esperanza de dicha y ventura sobre la tierra, ¡había muerto el día anterior en Santa Águeda! El desgraciado padre se lo había telegrafiado a Falcón para que me lo dijese... ¡a mí, que debí haberlo adivinado una hora antes, al encontrarme al demonio de mi vida! ¿Comprendes ahora que necesito matar a la enemiga innata de mi felicidad, a esa inmunda vieja, que es como el sarcasmo viviente de mi destino?

Pero ¿qué digo matar? ¿Es mujer? ¿Es criatura humana? ¿Por qué la he presentido desde que nací? ¿Por qué *me reconoció* al verme? ¿Por qué no se me presenta sino cuando me ha sucedido alguna gran desdicha? ¿Es Satanás? ¿Es la Muerte? ¿Es la Vida? ¿Es el Anticristo? ¿Quién es? ¿Qué es?...

V

—Os hago gracia, mis queridos amigos —continuó Gabriel—, de las reflexiones y argumentos que emplearía yo para ver de tranquilizar a Telesforo; pues son los mismos, mismísimos, que estáis vosotros preparando ahora para demostrarme que en mi historia no pasa nada sobrenatural o sobrehumano... Vosotros diréis que mi amigo estaba medio loco; que lo estuvo siempre; que, cuando menos, padecía la enfermedad moral llamada por unos *terror pánico* y por otros *delirio emotivo;* que, aun siendo verdad todo lo que refería acerca de la mujer alta, habría que atribuirlo a *coincidencias* casuales de fechas y accidentes; y, en fin, que aquella pobre vieja podía también estar loca, o ser una ratera o una mendiga, o una zurcidora de voluntades, como se dijo a sí propio el héroe de mi cuento en un intervalo de lucidez y buen sentido...

—¡Admirable suposición! —exclamaron los camaradas de Gabriel en variedad de formas—. ¡Eso mismo íbamos a contestarte nosotros!

—Pues escuchad todavía unos momentos y veréis que yo me equivoqué entonces, como vosotros os equivocáis ahora. ¡El que desgraciadamente no se equivocó nunca fue Telesforo! ¡Ah! ¡Es mucho más fácil pronunciar la palabra *locura* que hallar explicación a ciertas cosas que pasan en la Tierra!

—¡Habla! ¡Habla!

—Voy allá; y esta vez, por ser ya la última, reanudaré el hilo de mi historia sin beberme antes un vaso de vino.

VI

A los pocos días de aquella conversación con Telesforo, fui destinado a la provincia de Albacete en mi calidad de ingeniero de Montes; y no habían transcurrido muchas semanas cuando supe, por un contratista de obras públicas, que mi infeliz amigo había sido atacado de una horrorosa ictericia; que estaba enteramente verde, postrado en un sillón, sin trabajar ni querer ver a nadie, llorando de día y de noche con inconsolable amargura, y que los médicos no tenían ya esperanza alguna de salvarlo. Comprendí entonces por qué no contestaba a mis cartas, y hube de reducirme a pedir noticias suyas al coronel Falcón, que cada vez me las daba más desfavorables y tristes...,

Después de cinco meses de ausencia, regresé a Madrid el mismo día que llegó el parte telegráfico de la batalla de Tetuán [10]. Me acuerdo como de lo que hice ayer. Aquella noche compré la indispensable *Correspondencia de España*, y lo primero que leí en ella

[10] *la batalla de Tetuán*: Famosa batalla que tuvo lugar el 2 de febrero de 1860 en que los españoles tuvieron un resonante

fue la noticia de que Telesforo había fallecido y la invitación a su entierro para la mañana siguiente.

Comprenderéis que no falté a la triste ceremonia. Al llegar al cementerio de San Luis, adonde fui en uno de los coches más próximos al carro fúnebre, llamó mi atención una mujer del pueblo, vieja, y muy alta, que se reía impíamente al ver bajar el féretro, y que luego se colocó en ademán de triunfo delante de los enterradores, señalándoles con un abanico muy pequeño la galería que debían seguir para llegar a la abierta y ansiosa tumba...

A la primera ojeada reconocí, con asombro y pavura, que era la implacable enemiga de Telesforo, tal y como él me la había retratado, con su enorme nariz, con sus infernales ojos, con su asquerosa mella, con su pañolejo de percal y con aquel diminuto abanico, que parecía en sus manos el cetro del impudor y de la mofa...

Instantáneamente reparó en que yo la miraba, y fijó en mí la vista de un modo particular como reconociéndome, como dándose cuenta de que yo la reconocía, como enterada de que el difunto me había contado las escenas de la calle de Jardines y de la del Lobo, como desafiándome, como declarándome heredero del odio que había profesado a mi infortunado amigo...

Confieso que entonces mi miedo fue superior a la maravilla que me causaban aquellas nuevas *coincidencias* o *casualidades*. Veía patente que alguna relación sobrenatural anterior a la vida terrena había existido entre la misteriosa vieja y Telesforo; pero en tal momento sólo me preocupaba mi propia vida, mi propia alma, mi propia ventura, que correrían peligro si llegaba a heredar semejante infortunio...

La *mujer alta* se echó a reír, y me señaló ignominiosamente con el abanico, cual si hubiese leído en mi pensamiento y denunciase al público mi cobardía... Yo

_____

triunfo sobre los marroquíes. Dos meses después se firmaría la paz.

tuve que apoyarme en el brazo de un amigo para no caer al suelo, y entonces ella hizo un ademán compasivo o desdeñoso, giró sobre los talones y penetró en el campo santo con la cabeza vuelta hacia mí, abanicándose y saludándome a un propio tiempo, y contoneándose entre los muertos con no sé qué infernal coquetería, hasta que, por último, desapareció para siempre en aquel laberinto de patios y columnatas llenos de tumbas...

Y digo *para siempre,* porque han pasado quince años y no he vuelto a verla... Si era criatura humana, ya debe de haber muerto, y si no lo era, tengo la seguridad de que me ha desdeñado...

¡Conque vamos a cuentas! ¡Decidme vuestra opinión acerca de tan curiosos hechos! ¿Los consideráis todavía *naturales?*

... ...

Ocioso fuera que yo, el autor del cuento o historia que acabáis de leer, estampase aquí las contestaciones que dieron a Gabriel sus compañeros y amigos, puesto que, al fin y a la postre, cada lector habrá de juzgar el caso según sus propias sensaciones y creencias...

Prefiero, por consiguiente, hacer punto final en este párrafo, no sin dirigir el más cariñoso y expresivo saludo a cinco de los seis expedicionarios que pasaron juntos aquel inolvidable día en las frondosas cumbres del Guadarrama.

Valdemoro, 25 de agosto de 1881.

206

El amigo de la muerte

CUENTO FANTÁSTICO

I

MÉRITOS Y SERVICIOS

Éste era un pobre muchacho, alto, flaco, amarillo, con buenos ojos negros, la frente despejada y las manos más hermosas del mundo, muy mal vestido, de altanero porte y humor inaguantable... Tenía diecinueve años, y llamábase Gil Gil.

Gil Gil era hijo, nieto, biznieto, chozno, y Dios sabe qué más, de los mejores zapateros de viejo de la corte, y al salir al mundo causó la muerte a su madre, Crispina López, cuyos padres, abuelos, bisabuelos y tatarabuelos honraron también la misma profesión.

Juan Gil, padre legal de nuestro melancólico héroe, no principió a amarlo desde que supo que llamaba con los talones a las puertas de la vida, sino meramente desde que le dijeron que había salido del claustro materno, por más que esta salida le dejase a él sin esposa; de donde yo me atrevo a inferir que el pobre maestro de obra prima [1] y Crispina López fueron un modelo de matrimonios *cortos, pero malos.*

Tan corto fue el suyo, que no pudo serlo más, si tenemos en cuenta que dejó fruto de bendición... hasta cierto punto. Quiero significar con esto que Gil Gil era sietemesino, o, por mejor decir, que nació a los siete meses del casamiento de sus padres, lo cual no prueba siempre una misma cosa... Sin embargo,

---

[1] *obra prima*: Se llama así a la obra de zapatería nueva, frente a la de remendar o componer.

y juzgando sólo por las apariencias, Crispina López merecía ser más llorada de lo que la lloró su marido, pues al pasar a la suya desde la zapatería paterna, llevóle en dote, amén de una hermosura casi excesiva y de mucha ropa de cama y de vestir, un riquísimo parroquiano —¡nada menos que un conde, y conde de Rionuevo!—, quien tuvo durante algunos meses (creemos que siete), el extraño capricho de calzar sus menudos y delicados pies en la tosca obra del buen Juan, representante el más indigno de los santos mártires Crispín y Crispiniano [2], que de Dios gozan...

Pero nada de esto tiene que ver ahora con mi cuento, llamado *El amigo de la muerte*.

Lo que sí nos importa saber es que Gil Gil se quedó sin padre, o sea sin el honrado zapatero, a la edad de catorce años, cuando ya iba él siendo también un buen remendón, y que el noble conde de Rionuevo, compadecido del huerfanito, o prendado de sus clarísimas luces, que lo cierto nadie lo supo, se lo llevó a su propio palacio en calidad de paje, no empero sin gran repugnancia de la señora condesa, quien ya *tenía noticias* del *niño parido* por Crispina López.

Nuestro héroe había recibido alguna educación —leer, escribir, contar y doctrina cristiana—; de manera que pudo emprenderla, desde luego, con el latín, bajo la dirección de un fraile jerónimo que entraba mucho en casa del conde...; y en verdad sea dicho, fueron estos años los más dichosos de la vida de Gil Gil; dichosos, no porque careciese el pobre de disgustos (que se los daba y muy grandes la condesa, recordándole a todas horas la lezna y el tirapié), sino porque acompañaba de noche a su protector a casa del duque de Monteclaro, y el duque de Monteclaro tenía una hija, presunta universal y única heredera de todos sus bienes y rentas habidos y por haber, y hermosísi-

---

[2] *San Crispín y San Crispiniano* (siglo VIII): Santos patronos de los zapateros.

ma por añadidura..., aunque el tal padre era bastante feo y desgarbado.

Rayaba Elena en los doce febreros cuando la conoció Gil Gil, y como en aquella casa pasaba el joven paje por hijo de una muy noble familia arruinada —piadoso embuste del conde de Rionuevo—, la aristocrática niña no se desdeñó de jugar con él a las cosas que juegan los muchachos, llegando hasta darle, por supuesto en broma, el dictado de *novio,* y aun a cobrarle algún cariño cuando los doce años de ella se convirtieron en catorce, y los catorce de él en dieciséis.

Así transcurrieron tres años más.

El hijo del zapatero vivió todo este tiempo en una atmósfera de lujo y de placeres: entró en la corte, trató con la grandeza, adquirió sus modales, tartamudeó el francés (entonces muy de moda) y aprendió, en fin, equitación, baile, esgrima, algo de ajedrez y un poco de nigromancia.

Pero he aquí que la *Muerte* vino por tercera vez, y ésta más despiadada que las anteriores, a echar por tierra al porvenir de nuestro héroe. El conde de Rionuevo falleció *ab intestato,* y la condesa viuda, que odiaba cordialmente al protegido de su difunto, le participó, con lágrimas en los ojos y veneno en la sonrisa, que abandonase aquella casa sin pérdida de tiempo, pues su presencia le *recordaba* la de su marido, y esto no podía menos de entristecerla.

Gil Gil creyó que despertaba de un hermoso sueño, o que era presa de cruel pesadilla. Ello es que cogió debajo del brazo los vestidos que quisieron dejarle, y abandonó, llorando a lágrima viva, aquel que ya no era hospitalario techo.

Pobre, y sin familia ni hogar a que acogerse, recordó el desgraciado que en cierta calleja del barrio de las Vistillas poseía un humilde portal y algunas herramientas de zapatero encerradas en un arca; todo lo cual corría a cargo de la vieja más vieja de la vecindad, en cuya casa había encontrado el mísero caricias y hasta confituras en vida del virtuoso Juan Gil... Fue, pues, allá: la vieja duraba todavía; las herramientas se hallaban en buen estado, y el alquiler del portal le había producido en aquellos años unos siete doblones, que la buena mujer le entregó, no sin regarlos antes con lágrimas de alegría.

Gil decidió vivir con la vieja, dedicarse a la obra prima y olvidar completamente la equitación, las armas, el baile y el ajedrez... ¡Pero de ningún modo a Elena de Monteclaro!

Esto último le hubiera sido imposible.

Comprendió, sin embargo, que había muerto para ella, o que ella había muerto para él, y antes de colocar la fúnebre losa de la desesperación sobre aquel amor inextinguible, quiso dar un adiós supremo a la que era hacía mucho tiempo alma de su alma.

Vistióse, pues, una noche con su mejor ropa de caballero y tomó el camino de la casa del duque.

A la puerta había un coche de camino con cuatro mulas ya enganchadas.

Elena subía a él seguida de su padre.

—¡Gil! —exclamó dulcemente al ver al joven.

—¡Vamos! —gritó el duque al cochero, sin oír la voz de ella ni ver al antiguo paje de Rionuevo.

Las mulas partieron a escape.

El infeliz tendió los brazos hacia su adorada, sin tener ni aun tiempo para decirle ¡adiós!

—¡A ver! —gruñó el portero—; ¡hay que cerrar!

Gil volvió de su atolondramiento.

—¡Se van! —dijo.

—Sí, señor: ¡a Francia! —respondió el portero secamente, dándole con la puerta en los hocicos.

El ex paje volvió a su casa más desesperado que nunca, desnudóse y guardó la ropa; se vistió lo peor que pudo; cortóse los cabellos; se afeitó un ligero bozo que ya le apuntaba, y al día siguiente tomó posesión de la desvencijada silla que Juan Gil ocupó durante cuarenta años entre hormas, cuchillas, leznas y cerote.

Así lo encontramos al empezar este cuento, que, como ya queda dicho, se titula *El amigo de la muerte*.

II

MÁS SERVICIOS Y MÉRITOS

Acababa el mes de junio de 1724.

Gil Gil llevaba dos años de zapatero; mas no por esto creáis que se había resignado con su suerte.

Tenía que trabajar día y noche para ganarse el preciso sustento, y lamentaba a todas horas el deterioro consiguiente de sus hermosas manos; leía cuando le faltaba parroquia, y ni por casualidad pisaba en toda la semana el dintel de su escondido albergue. ¡Allí vivía solo, taciturno, hipocondríaco, sin otra distracción que oír de labios de la vieja alguna que otra descripción de la hermosura de Crispina López o de la generosidad del conde de Rionuevo!

Ahora, los domingos, la cosa variaba completamente. Gil Gil se ponía sus antiguos vestidos de paje, muy conservados el resto de la semana, y se iba a las gradas de la iglesia de San Millán[3], la más próxima al palacio de Monteclaro, y donde su inolvidable Elena oía misa en mejores tiempos.

Allí la esperó un año y otro, sin verla aparecer. En cambio, solía encontrar estudiantes y pajes que trató cuando niño, y que le ponían ahora al corriente de cuanto sucedía en las altas esferas que ya no frecuentaba..., y por ellos precisamente estaba enterado de que su adorada seguía en Francia... ¡Por supuesto, na-

---

[3] *Iglesia de San Millán*: en la calle de Embajadores, de Madrid. Barroca, de fines del siglo XVII.

die sospechaba en aquellos barrios que nuestro joven fuese en otros un pobre remendón, sino que todos lo creían poseedor de algún legado del conde de Rionuevo, quien manifestó en vida demasiada predilección al joven paje, para que se pudiera creer que no había pensado en asegurar su porvenir!

Así las cosas, y por la época que hemos citado al empezar este capítulo, hallándose Gil Gil un día de fiesta a la puerta del susodicho templo, vio llegar dos damas lujosamente vestidas y con gran séquito, las cuales pasaron lo bastante cerca de él para que reconociese en una de ellas a su fatal enemiga la condesa de Rionuevo.

Iba nuestro joven a esconderse entre la multitud, cuando la otra dama se levantó el velo, y... ¡oh, ventura...! Gil Gil vio que era su adorada Elena, la dulce causa de sus acerbos pesares.

El pobre mozo dio un grito de frenética alegría y se adelantó hacia la beldad.

Elena lo reconoció al momento, y exclamó con igual ternura que dos años antes:

—¡Gil!

La condesa de Rionuevo apretó el brazo a la heredera de Monteclaro, y murmuró, volviéndose a Gil Gil:

—Te he dicho que estoy contenta con mi zapatero... ¡Yo no calzo de viejo!... Déjame en paz.

Gil Gil palideció como un difunto y cayó contra las losas del atrio.

Elena y la condesa penetraron en el templo.

Dos o tres estudiantes que presenciaron la escena se rieron a todo trapo, aunque no la entendieron completamente.

Gil Gil fue conducido a su casa.

Allí le esperaba otro golpe.

La vieja que constituía toda su familia había muerto de lo que se llama *muerte* senil.

214

Él cayó en cama con una fiebre cerebral muy intensa, y estuvo, como quien dice, a las puertas de la *muerte*.

Cuando volvió en sí, se encontró con que un vecino de aquella calle, más pobre aún que él, lo había cuidado durante su larga enfermedad, no sin verse obligado, para costear médico y botica, a vender los muebles, las herramientas, el portal, los libros y hasta el traje de caballero de nuestro joven.

Al cabo de dos meses, Gil Gil, cubierto de harapos, hambriento, debilitado por la enfermedad, sin un maravedí, sin familia, sin amigos, sin aquella vieja a quien amaba ya como a una madre, y, lo que era peor que todo, sin esperanzas de volver a acercarse a su amiga de los primeros años de la juventud, a su soñada y bendecida Elena, abandonó el portal (asilo de sus ascendientes y ya propiedad de otro zapatero) y tomó a la ventura por la primera calle que encontró, sin saber adónde iba, ni qué hacer, ni a quién dirigirse, ni cómo trabajar, ni para qué vivir...

Llovía. Era una de esas tristísimas tardes en que parece que hasta los relojes tocan a muerto; en que el cielo está cubierto de nubes y la tierra de lodo; en que el aire, húmedo y macilento, ahoga los suspiros dentro del corazón del hombre; en que todos los pobres sienten hambre, todos los huérfanos frío y todos los desdichados envidia a los que ya murieron.

Anocheció, y Gil Gil, que tenía calentura, acurrucóse en el hueco de una puerta y se echó a llorar con infinito desconsuelo...

La idea de la *muerte* ofrecióse entonces a su imaginación, no entre las sombras del miedo y las convulsiones de la agonía, sino afable, bella y luminosa, como la describe Espronceda [4].

El desgraciado cruzó los brazos contra su corazón

---

[4] Espronceda, José (1808-1842): Se refiere a la visión de la muerte en *El Diablo Mundo*, Canto I.

como para retener aquella dulce imagen que tanto descanso, tanta gloria y tanta dicha le ofrecía, y, al hacer este movimiento, sintió que sus manos se posaban sobre una cosa dura que tenía en el bolsillo.

La reacción fue súbita; la idea de la vida, o de la conservación, que corría atribulada por el cerebro de Gil Gil huyendo de la otra idea que hemos enunciado, asióse con toda su fuerza a aquel inesperado accidente que se le presentaba en el borde mismo del sepulcro.

La esperanza murmuró en su oído mil seductoras promesas que le indujeron a sospechar si aquella cosa dura que había tocado sería dinero o una enorme piedra preciosa, o un talismán...; algo, en fin, que encerrase la vida, la fortuna, la dicha y la gloria (que para él se reducían al amor de Elena de Monteclaro), y, diciendo a la muerte: *Aguarda...*, se llevó la mano al bolsillo.

Pero, ¡ay!, la cosa dura era el barrillillo de ácido sulfúrico, o, por decirlo más claramente, de *aceite vitriolo,* que le servía para hacer betún, y que último resto de sus útiles de zapatero, se hallaba en su faltriquera por una casualidad inexplicable.

De consiguiente, allí donde el desgraciado creyó ver un áncora de salvación, encontraron sus manos un veneno, y de los más activos.

—¡Muramos, pues! —se dijo entonces.

Y se llevó el bote a los labios...

... ...

Y una mano fría como el granizo se posó sobre sus hombros, y una voz dulce, tierna, divina, murmuró sobre su cabeza estas palabras:

—¡HOLA, AMIGO!

DE CÓMO GIL GIL APRENDIÓ MEDICINA
EN UNA HORA

Ninguna frase pudiera haber sorprendido tanto a Gil Gil como la que acababa de escuchar:

—*¡Hola, amigo!*

Él no tenía amigos.

Pero mucho más le sorprendió la horrible impresión de frío que le comunicó la mano de aquella sombra, y aun el tono de su voz, que penetraba, como el viento del polo, hasta la médula de los huesos.

Hemos dicho que la noche estaba muy oscura...

El pobre huérfano no podía, por consiguiente, distinguir las facciones del ser recién llegado, aunque sí su negro traje talar, que no correspondía precisamente a ninguno de los dos sexos.

Lleno de dudas, de misteriosos temores y hasta de una curiosidad vivísima, levantóse Gil del tranco de la puerta en que seguía acurrucado ,y murmuró con voz desfallecida, entrecortada por el castañeteo de sus dientes:

—¿Qué me queréis?

—¡Eso te pregunto yo! —respondió el ser desconocido, enlazando su brazo al de Gil Gil con familiaridad afectuosa.

—¿Quién sois? —replicó el pobre zapatero, que se sintió morir al frío contacto de aquel brazo.

—Soy la persona que buscas.

—¡Quién!... ¿Yo?... ¡Yo no busco a nadie! —replicó Gil queriendo desasirse.

—Pues ¿por qué me has llamado? —repuso aquella *persona*, estrechándole el brazo con mayor fuerza.

—¡Ah!... Dejadme...

—Tranquilízate, Gil, que no pienso hacerte daño alguno... —añadió el ser misterioso—. ¡Ven! Tú tiemblas de hambre y de frío... Allí veo una hostería abierta, en la que cabalmente tengo *que hacer* esta noche... Entremos y tomarás algo.

—Bien...; pero ¿quién sois? —preguntó de nuevo Gil Gil, cuya curiosidad empezaba a sobreponerse a los demás sentimientos.

—Ya te lo dije al llegar: *somos amigos*... ¡Y cuenta que tú eres el único a quien doy este nombre sobre la tierra! ¡Úneme a ti el remordimiento!... Yo he sido la causa de todos tus infortunios.

—No os conozco... —replicó el zapatero.

—¡Sin embargo, he entrado en tu casa muchas veces! Por mí quedaste sin madre al tiempo de nacer; yo fui causa de la apoplejía que mató a Juan Gil; yo te arrojé del palacio de Rionuevo; yo asesiné un domingo a tu vieja compañera de casa; yo, en fin, te puse en el bolsillo ese bote de ácido sulfúrico...

Gil Gil tembló como un azogado; sintió que la raíz del cabello se le clavaba en el cráneo, y creyó que sus músculos crispados se rompían.

—¡Eres el demonio! —exclamó con indecible miedo.

—¡Niño! —contestó la enlutada persona en son de amable censura—. ¿De dónde sacas eso? ¡Yo soy algo más y mejor que el triste ser que nombras!

—¿Quién eres, pues?

—Entremos en la hostería y lo sabrás.

Gil entró apresuradamente; puso al desconocido ser delante del humilde farol que alumbraba el aposento, lo miró con avidez inmensa...

Érase una persona como de treinta y tres años, alta, hermosa, pálida, vestida con una larga túnica y una capa negra, y cuyos luengos cabellos cubría un gorro frigio, también de luto.

No tenía ni asomos de barba, y, sin embargo, no

218

parecía mujer. Tampoco parecía hombre, a pesar de lo viril y enérgico de su semblante.

Lo que realmente parecía era un ser humano sin sexo, un cuerpo sin alma, o más bien un alma sin cuerpo mortal determinado. Dijérase que era una negación de personalidad.

Sus ojos no tenían resplandor alguno. Recordaban la negrura de las tinieblas. Eran, sí, unos ojos de sombra, unos ojos de luto, unos ojos muertos... Pero tan apacibles, tan inofensivos, tan profundos en su mudez, que no se podía apartar la vista de ellos. Atraían como el mar; fascinaban como un abismo sin fondo; consolaban como el olvido.

Así fue que Gil Gil, a poco que fijó los suyos en aquellos ojos inanimados, sintió que un velo negro lo envolvía, que el orbe tornaba al caos y que el ruido del mundo era como el de una tempestad que se lleva el aire...

Entonces, aquel ser misterioso dijo estas tremendas palabras:

—Yo soy la *Muerte,* amigo mío... Yo soy la *Muerte,* y Dios es quien me envía... ¡Dios, que te tiene reservado un glorioso lugar en el cielo! Cinco veces he causado tu desventura, y yo, la deidad implacable, te he tenido compasión. Cuando Dios me ordenó esta noche llevar ante su tribunal tu alma impía, le rogué que me confiase tu existencia y me dejase vivir a tu lado algún tiempo, ofreciéndole entregarle al cabo tu espíritu limpio de culpas y digno de su gloria. El Cielo no ha sido sordo a mi súplica. ¡Tú eres, pues, el primer mortal a quien me he acercado sin que su cuerpo se torne fría ceniza! ¡Tú eres mi único amigo! Oye ahora, y aprende el camino de tu dicha y de tu salvación eterna.

Al llegar aquí la *Muerte,* Gil Gil murmuró una palabra casi ininteligible.

—Te he comprendido... —replicó la *Muerte*—. Me hablas de Elena de Monteclaro.

—¡Sí! —respondió el joven.

—¡Te juro que no la estrecharán otros brazos que los tuyos o los míos! ¡Y, además, te repito que he de darte la felicidad en este mundo y la del otro! Para ello bastará con lo siguiente: Yo, amigo mío, no soy la Omnipotencia... ¡Mi poder es muy limitado, muy triste! Yo no tengo la facultad de crear. Mi ciencia se reduce a destruir. Sin embargo, está en mis manos darte una fuerza, un poder, una riqueza mayor que la de los príncipes y emperadores... ¡Voy a hacerte médico; pero *médico amigo mío,* médico que me conozca, que me vea, que me hable! Adivina lo demás.

Gil Gil estaba absorto.

—¿Será verdad? —exclamó cual si luchara con una pesadilla.

—Todo es verdad, y algo más que te iré diciendo... Por ahora sólo debo advertirte que tú no eres hijo de Juan Gil. Yo oigo la confesión de todos los moribundos, y sé que eres hijo natural del conde de Rionuevo, tu difunto protector, y de Crispina López, que te concibió dos meses antes de casarse con el infortunado Juan Gil.

—¡Ah, calla! —exclamó el pobre niño, tapándose el rostro con las manos.

Luego, herido de una súbita idea, exclamó con indescriptible horror:

—¿Conque tú matarás a Elena algún día?

—Tranquilízate... —respondió la divinidad—. ¡Elena no morirá nunca para ti! Así, pues, ¡responde!... ¿Quieres o no quieres ser mi amigo?

Gil contestó con esta otra pregunta:

—¿Me darás en cambio a Elena?

—Te he dicho que sí.

—¡Pues ésta es mi mano! —añadió el joven alargándosela a la *Muerte.*

Pero otra idea más horrible que la anterior le asaltó en aquel momento.

—¡Con estas manos que estrechan la mía —dijo— mataste a mi pobre madre!

—¡Sí! ¡Tu madre murió!... —respondió la *Muerte*—. Entiende, sin embargo, que yo no le causé dolor alguno... ¡Yo no hago sufrir a nadie! Quien os atormenta hasta que dais el último suspiro es mi rival la *Vida,* ¡esa vida que tanto amáis!

Gil se arrojó en brazos de la *Muerte* por toda contestación.

—Vamos, pues —dijo el ser enlutado.

—¿Adónde?

—A La Granja, a comenzar tus funciones de médico.

—Pero ¿a quién vamos a ver?

—Al ex rey Felipe V [5].

—¡Cómo! ¿Felipe V va a morir?

—Todavía no; antes ha de volver a reinar, y tú vas a regalarle la corona.

Gil inclinó la frente, abrumado bajo el peso de tantas nuevas ideas. La *Muerte* lo cogió del brazo y lo sacó de la hostería.

No habían llegado a la puerta, cuando oyeron a su espalda gritos y lamentaciones.

El dueño de la hostería acababa de morir.

IV

DIGRESIÓN QUE NO HACE AL CASO

Desde que Gil Gil salió de la hostería empezó a observar tal cambio en sí mismo y en la naturaleza toda, que, a no ir asido a un brazo tan robusto como el de

---

[5] *Felipe V* (1683-1746): Duque de Anjou; primer rey español de la casa de Borbón. De su primera mujer, María Luisa de Saboya, tuvo como primogéntio a Luis I.

la *Muerte,* indudablemente hubiera caído anonadado contra el suelo.

Y era que nuestro héroe sentía lo que no ha sentido ningún otro hombre ¡el doble movimiento de la Tierra alrededor del sol y en torno de su propio eje! En cambio, no percibía el de su propio corazón.

Por lo demás, cualquiera que hubiese examinado a la esplendorosa luz de la luna el rostro del ex zapatero, habría echado de ver que la melancólica hermosura que siempre lo hizo admirable había subido de punto de una manera extraordinaria... Sus ojos, de un negro aterciopelado, reflejaban ya aquella paz misteriosa que reinaba en los de la personificación de la *Muerte.* Sus largos y sedosos cabellos, oscuros como las alas del cuervo, adornaban una fisonomía pálida como el alabastro de las tumbas, radiosa y opaca a un mismo tiempo, cual si dentro de aquel alabastro ardiese una luz funeral que se filtrara tenuemente por sus poros. Su gesto, su actitud, su ademán, todo él se había transfigurado, adquiriendo cierto aire monumental, eterno, extraño a toda relación con la naturaleza, y que indudablemente, dondequiera que Gil se presentase, lo haría superior a las mujeres más insensibles, a los poderosos más soberbios, a los guerreros más esforzados.

Andaban y andaban los dos amigos hacia la Sierra, unas veces por el camino y otras fuera de él.

Siempre que pasaban por algún pueblo o caserío, lentas campanadas, vibrando en el espacio en son de agonía, anunciaban a nuestro joven que la *Muerte* no perdía su tiempo; que su brazo alcanzaba a todas partes, y que, no por sentirlo él sobre su corazón como una montaña de hielo, dejaba de cubrir de luto y de ruinas todo el haz de la dilatada Tierra.

Grandes y peregrinas cosas iba contándole la *Muerte* a su protegido.

Enemiga de la Historia, complacíase en hablar pes-

222

tes acerca de su pretendida utilidad, y para demostrarlo presentaba los hechos tales como acontecieron y no como los guardan monumentos y cronicones.

Los abismos de lo pasado se entreabrían ante la absorta imaginación de Gil Gil, ofreciéndole revelaciones importantísimas sobre el destino de los imperios y de la humanidad entera, descubriéndole el gran misterio del origen de la vida y el no menos temeroso y grande del fin a que caminamos los mal llamados mortales, y haciéndole, por último, comprender a la luz de tan alta filosofía, las leyes que presiden al desenvolvimiento de la materia cósmica y a sus múltiples manifestaciones en esas formas efímeras y pasajeras que se llaman minerales, plantas, animales, astros, constelaciones, nebulosas y mundos.

La Fisiología, la Geología, la Química, la Botánica, todo se esclarecía a los ojos del ex zapatero, dándole a conocer los misteriosos resortes de la vida, del movimiento, de la reproducción, de la pasión, del sentimiento, de la idea, de la conciencia, de la reflexión, de la memoria y de la voluntad o el deseo.

¡Dios, sólo Dios, permanecía velado en el fondo de aquellos mares de luz!

¡Dios, sólo Dios, era ajeno a la vida y a la muerte; extraño a la solidaridad universal; único y superior en esencia; sólo como sustancia; independiente, libre y todopoderoso como acción! La *Muerte* no alcanzaba a envolver al Criador en su infinita sombra. ¡Sobre *Él era!* Su eternidad, su inmutabilidad, su impenetrabilidad, deslumbraron la vista de Gil Gil, el cual inclinó la cabeza, y adoró y creyó, quedando sumido *en mayor ignorancia* que antes de bajar a los abismos de la *Muerte*...

V

LO CIERTO POR LO DUDOSO

Eran las diez de la mañana del 30 de agosto de 1724 cuando Gil Gil, perfectamente aleccionado por aquella potestad negativa, penetraba en el palacio de San Ildefonso y pedía audiencia a Felipe V.

Recordemos al lector la situación de este monarca en el día y hora que acabamos de citar.

El primer Borbón de España, nieto de Luis XIV de Francia, aceptó el trono español cuando no podía soñar con sentarse en el trono francés. Pero fueron muriendo otros príncipes, tíos y primos suyos, que le separaban del solio de su tierra nativa y, entonces, a fin de habilitarse para ocuparlo, si moría también su sobrino Luis XV (que estaba muy enfermo y sólo contaba catorce años de edad), abdicó la corona de Castilla en su hijo Luis I [6], se retiró a San Ildefonso.

En tal situación, no sólo mejoró algo de salud Luis XV, sino que Luis I cayó en cama gravísimamente atacado de viruelas ¡hasta el extremo de temerse ya por su vida!... Diez correos, escalonados entre La Granja [7] y Madrid, llevaban cada hora a Felipe noticias del estado de su hijo, y el padre ambicioso, excitado además por su célebre segunda esposa, Isabel Farnesio [8] (mucho más ambiciosa que él), no sabía qué partido tomar en tan inesperado y grave conflicto.

¿Iba a vacar el trono de España antes que el de

---

[6] *Luis I* (1707-1724): Reinó siete meses y murió de viruelas, como en el cuento.

[7] *San Ildefonso*: palacio real en el sitio de *La Granja* (siglo XVIII).

[8] *Isabel Farnesio* (1692-1746): Segunda mujer de Felipe V; entra con ella en la corte la influencia italiana.

Francia? ¿Debía manifestar su intención de reinar de nuevo en Madrid, disponiéndose a recoger la herencia de su hijo?

Pero ¿y si no moría éste? ¿No sería insigne torpeza haber descubierto a toda Europa el oscuro fondo de su alma? ¿No era esterilizar el sacrificio de haber vivido siete meses en la soledad? ¿No fuera renunciar para siempre a la dulce esperanza de sentarse en el ansiado trono de San Luis? ¿Qué hacer, pues? ¡Esperar equivalía a perder un tiempo precioso!... La Junta de Gobierno lo aborrecía y le disputaba toda influencia en las cosas del Estado... Dar un solo paso podía comprometer la ambición de toda su vida y su nombre en la posteridad...

¡Falso Carlos V las tentaciones del mundo le asaltaban en el desierto, y pagaba harto cara, en aquellas horas de incertidumbre, la hipocresía de su abdicación!

Tal era la circunstancia en que nuestro amigo Gil Gil se anunciaba al meditabundo Felipe, diciéndose portador de importantísimas noticias.

—¿Qué me quieres? —preguntó el Rey sin mirarlo cuando lo sintió dentro de la cámara.

—Señor, míreme vuestra majestad —respondió Gil Gil con desenfado—. No tema que lea sus pensamientos, pues no son un misterio para mí.

Felipe V se volvió bruscamente hacia aquel hombre, cuya voz, seca y fría como la verdad que revelaba, había helado la sangre en su corazón.

Pero su enojo se estrelló en la fúnebre sonrisa del *Amigo de la Muerte*.

Sintióse, pues, poseído de supersticioso terror al fijar sus ojos en los de Gil Gil, y llevando una mano trémula a la campanilla de la escribanía que adornaba la mesa, repitió su primera pregunta:

—¿Qué me quieres?

—Señor, yo soy médico... —respondió el joven tranquilamente—, y tengo tal fe en mi ciencia que me atrevo a decir a vuestra majestad el día, la hora y el instante en que ha de morir Luis I.

Felipe V miró con más atención a aquel niño cubierto de harapos, cuyo rostro tenía tanto de hermoso como de sobrenatural.

—Habla... —dijo por toda contestación.

—¡No tan así, señor Rey! —replicó Gil con cierto sarcasmo—. ¡Antes hemos de convenir en el precio!

El francés sacudió la cabeza al oír estas palabras, como si despertase de un sueño; vio aquella escena de otro modo, y casi se avergonzó de haberla tolerado.

—¡Hola! —dijo, tocando la campanilla—. ¡Prended a este hombre!

Un capitán apareció, y puso su mano sobre el hombro de Gil Gil.

Éste permaneció impasible.

El Rey, volviendo a su anterior superstición, miró de reojo al extraño médico... Levantóse luego trabajosamente, pues la languidez que sufría hacía algunos años se había agravado aquellos días, y dijo al capitán de guardias:

—Déjanos solos.

Plantóse, por último, enfrente de Gil Gil, cual si quisiera perderle el miedo, y le preguntó con fingida calma:

—¿Quién diablos eres, cara de búho?

—¡Soy el *Amigo de la Muerte!* —respondió nuestro joven sin pestañear.

—Muy señora mía y de todos los pecadores... —dijo el Rey con aire de broma a fin de disfrazar su pueril espanto—. ¿Y qué decías de nuestro hijo?

—Digo, señor —exclamó Gil Gil dando un paso hacia el Rey, quien retrocedió a su pesar—, que vengo a traeros una corona...; no os diré si la de España o la de Francia, pues éste es el secreto que habéis de pagarme. Digo que estamos perdiendo un tiempo precioso, y que, por consiguiente, necesito hablaros pronto y claro. Oidme, por tanto, con atención. Luis I está agonizando... Su enfermedad es, sin embargo, de las que tienen cura... Vuestra majestad es el perro de la fábula...

Felipe V interrumpió a Gil Gil:

—¡Di!... ¡Di lo que gustes! Deseo oírlo todo... ¡De todas maneras voy a tener que ahorcarte!...

El Amigo de la Muerte se encogió de hombros y continuó:

—Decía que vuestra majestad es el perro de la fábula. Teníais en la cabeza la corona de España; os bajasteis para coger la de Francia; se os cayó la vuestra sobre la cuna de vuestro hijo; Luis XV se ciñó la suya, y vos os quedasteis sin la una y sin la otra...

—¡Es verdad! —exclamó Felipe V, si no con la voz, con la mirada.

—Hoy... —continuó Gil Gil recogiendo la mirada del Rey—; hoy, que estáis más cerca de la corona de Francia que de la de España, vais a exponeros al mismo azar... Luis XV y Luis I, los dos Reyes niños, están enfermos. Podéis heredar a ambos; pero necesitáis saber con algunas horas de anticipación cuál de los dos va a morir antes. Luis I está de más peligro; pero la corona de Francia es más hermosa. De aquí vuestra perplejidad... ¡Bien se conoce que estáis escarmentado! ¡Ya no os atrevéis a tender la mano al cetro de San Fernando, temeroso de que vuestro hijo se salve, la historia os escarnezca y vuestros patidarios de Francia os abandonen!... Más claro: ¡ya no os atrevéis a soltar la presa que tenéis entre los dientes, temeroso de que la otra que veis sea una nueva ilusión o mero espejismo!

—¡Habla..., habla! —dijo Felipe con ansiedad, creyendo que Gil había terminado—. ¡Habla! ¡De todos modos has de ir de aquí a una mazmorra, donde sólo te oigan las paredes!... ¡Habla!... ¡Quiero saber qué dice el mundo acerca de mis pensamientos!

El ex zapatero sonrió con desdén.

—¡Cárcel! ¡Horca!... —exclamó—. ¡He aquí todo lo que los reyes sabéis! Pero yo no me asusto. Escuchadme otro poco, que voy a concluir. Yo, señor, necesito ser médico de cámara, obtener un título de duque y ganar hoy mismo treinta mil pesos... ¿Se ríe vuestra majestad? ¡Pues los necesito tanto como vuestra majestad saber si Luis I morirá de las viruelas!

—¿Y qué? ¿Lo sabes tú? —preguntó el Rey en voz baja, sin poder sobreponerse al terror que le causaba aquel muchacho.

—Puedo saberlo esta noche.

—¿Cómo?

—Ya os he dicho que soy *amigo de la muerte.*

—¿Y qué es eso? ¡Explícamelo!

—Eso... ¡Yo mismo lo ignoro! Llevadme al palacio de Madrid. Hacedme ver al Rey reinante, y yo os diré la sentencia que el Eterno haya escrito sobre su frente.

—¿Y si te equivocas? —dijo el de Anjou acercándose más a Gil Gil.

—¡Me ahorcáis!..., para lo cual me retendréis preso todo el tiempo que os plazca.

—¡Conque eres hechicero! —exclamó Felipe por justificar de algún modo la fe que daba a las palabras de Gil Gil.

—¡Señor, ya no hay hechizos! —respondió éste—. El último hechicero se llamó Luis XIV, y el último hechizado, Carlos II. La corona de España, que os mandamos a París hace veinticinco años envuelta en el testamento de un idiota, nos rescató de la cautividad del demonio en que vivíamos desde la abdicación de Carlos V. Vos lo sabéis mejor que nadie.

—Médico de cámara..., duque... y treinta mil pesos... —murmuró el Rey.

—¡Por una corona que vale más de lo que pensáis! —respondió Gil Gil.

—¡Tienes mi real palabra! —añadió con solemnidad Felipe V, dominado por aquella voz, por aquella fisonomía, por aquella actitud llena de misterio.

—¿Lo jura vuestra majestad?

—¡Lo prometo! —respondió el francés—. ¡Lo prometo si antes me pruebas que eres algo más que un hombre!

—¡Elena..., serás mía! —balbuceó Gil.

El Rey llamó al capitán y le dio algunas órdenes.

—Ahora... —dijo—, mientras se dispone tu marcha a Madrid, cuéntame tu historia y explícame tu ciencia.

—Voy a complaceros, señor; pero temo que no comprendáis ni la una ni la otra.

… … … … … … … … … … … … … … … … …

Una hora después el capitán corría la posta hacia Madrid al lado de nuestro héroe, quien, por de pronto, ya había soltado sus harapos y vestía un magnífico traje de terciopelo negro, adornado con encajes vistosísimos; ceñía espadín, y llevaba sombrero galoneado.

Felipe V le había regalado aquella vestimenta y mucho dinero, después que se hubo enterado de su milagrosa amistad con la *Muerte*.

Sigamos nosotros al buen Gil Gil por mucho que corra, pues podría acontecer que se encontrara en la cámara de la Reina con su idolatrada Elena de Monteclaro, o con la odiosa condesa de Rionuevo, y no es cosa de que ignoremos los pormenores de unas entrevistas tan interesantes.

VI

CONFERENCIA PRELIMINAR

Serían las seis de la tarde cuando Gil Gil y el capitán se apeaban a las puertas de palacio.

Un gentío inmenso inundaba aquellos lugares, sabedor del peligro en que se encontraba la vida del joven Rey.

Al poner nuestro amigo el pie en el umbral del alcázar dio de manos a boca con la *Muerte*, que salía con paso precipitado.

—¿Ya? —preguntó Gil Gil lleno de susto.

—¡Todavía no! —respondió la siniestra deidad.

El médico respiró con satisfacción.

—Pues ¿cuándo? —replicó al cabo de un momento.

—No puedo decírtelo.

—¡Oh! Habla... ¡Si supieras lo que me ha prometido Felipe V!

—Me lo figuro.

—Pues bien: necesito saber cuándo muere Luis I.

—Lo sabrás a su debido tiempo. Entra... El capitán ha penetrado ya en la regia estancia. Trae instrucciones del Rey padre... En este momento te anuncian como el primer médico del mundo... La gente se agolpa a la escalera para verte llegar... ¡Vas a encontrarte con Elena y con la condesa de Rionuevo!...

—¡Oh, dicha! —exclamó Gil Gil.

—Las seis y cuarto... —continuó la *Muerte*, tomándose el pulso, que era su único e infalible reloj—. Te esperan... Hasta luego.

—Pero dime...

—Es verdad... ¡Se me olvidaba! Escucha: si cuando veas al rey Luis estoy en la cámara su enfermedad no tiene cura.

—¿Y estarás? ¿No dices que vas a otro lado?

—No sé todavía si estaré... Yo soy ubicua, y si recibo órdenes *superiores,* allí me verás, como donde quiera que me halle...

—¿Qué hacías ahora aquí?

—Vengo de matar un caballo.

Gil Gil retrocedió lleno de asombro.

—¿Cómo? —exclamó—. ¡También tienes que ver con los irracionales!...

—¿Qué es eso de irracionales? ¿Acaso los hombres tenéis verdadera razón? ¡La *razón* es una sola, y ésa no se ve desde la Tierra!

—Pero dime —replicó Gil—: los animales..., los brutos..., los que aquí llamamos irracionales, ¿tienen alma?

—Sí y no. Tienen un espíritu sin libertad e irresponsable... Pero, ¡vete al diablo! ¡Qué preguntón estás hoy! Conque, adiós... Me encamino a cierta noble casa..., donde voy a hacerte otro favor.

—¡Un favor a mí! ¡Dímelo claramente! ¿De qué se trata?

—De frustrar cierta boda.

—¡Ah!... —exclamó Gil Gil, concibiendo una horrible sospecha—. ¿Será acaso...?

—Nada más te puedo decir... —contestó la *Muerte*—. Ve adentro, que se hace tarde.

—¡Me vuelves loco!

—¡Déjate llevar y lo pasarás mejor! Tienes mi promesa de que llegarás a ser completamente dichoso.

—¡Ah! ¡Conque somos amigos! ¿No piensas matarnos ni a mí ni a Elena?

—¡*Descuida!* —replicó la *Muerte* con una tristeza y una solemnidad, con una ternura y una alegría, con tantos y tan distintos efectos en la voz, que Gil renunció, desde luego, a la esperanza de comprender aquella palabra.

—¡Espera! —dijo, por último, viendo que el ser enlutado se alejaba—. Repíteme aquello de las horas, pues no quiero equivocarme... Si estás en la habitación de un enfermo, pero no lo miras, significa que el paciente muere de aquella enfermedad...

—¡Cierto! Mas si estoy de cara a él, fenece dentro del día... Si yazgo en su mismo lecho, le quedan tres horas de existencia... Si lo encuentras entre mis brazos, no respondas sino de una hora... Y si me ves besarle la frente, reza un credo por su alma.

—¿Y no me hablarás ni una palabra?

—¡Ni una! Carezco de permiso para revelarte de esa manera los propósitos del Eterno. Tu ventaja sobre los demás hombres consiste solamente en que soy visible para ti. Conque adiós, ¡y no me olvides!

Dijo, y se desvaneció en el espacio.

VII

LA CÁMARA REAL

Gil Gil penetró en la regia morada ni arrepentido ni contento de haber entablado relaciones con la personificación de la *Muerte*.

Mas no bien pisó las escaleras del palacio y recordó que iba a ver a su idolatrada Elena, todas sus ideas lúgubres desaparecieron, como huyen las aves nocturnas al despuntar el día.

Con lucido acompañamiento de palaciegos y de otros personajes de la nobleza, atravesó Gil Gil galerías y salones, dirigiéndose a la cámara real, y por cierto que todos admiraban la extraña hermosura y tierna juventud del famoso médico que Felipe V enviaba desde La Granja como última apelación del humano poder para salvar la vida de Luis I.

Allí estaban las dos Cortes: la de Luis y la de Felipe.

Eran éstas, por decirlo así, los poderes rivales, que hacía una semana vivían en constante guerra; eran los antiguos servidores de la primera rama de Borbón y los nuevos que el Regente de Francia, Felipe de Orleáns *el Generoso,* había agrupado alrededor del trono de España para evitar que el ambicioso ex duque de Anjou saltase desde él al trono de su abuelo; eran, en fin, los cortesanos del dócil niño que yacía moribundo, y los de su bella esposa, la indomable hija del Regente, la renombrada duquesa de Montpensier.

Los allegados a Isabel de Farsenio, madrastra de Luis I, deseaban que éste muriese para que los hijos del segundo matrimonio de Felipe V se hallasen más cerca de la corona de San Fernando.

Los partidarios de la joven Orleáns, de la Reina hija, deseaban que el enfermo se salvase, no por amor a los mal avenidos esposos, sino en odio a Felipe V, a quien no querían ver reinar nuevamente.

Los amigos del desgraciado Luis temblaban a la idea de que muriese, porque, habiéndole inducido ellos a sacudir la tutela en que lo tenía el solitario de La Granja, sabían muy bien que al volver éste al trono lo primero que haría sería desterrarlos o prenderlos.

El palacio era, pues, un laberinto de encontrados deseos, de opuestas ambiciones, de intrigas y recelos, de temores y esperanzas.

Gil Gil penetró en la cámara buscando con la vista a una sola persona: a su inolvidable Elena.

Cerca del lecho del Rey vio al padre de ésta, al grande amigo del difunto conde de Rionuevo, al duque de Monteclaro, en fin, el cual hablaba con los arzobispos de Santiago y de Toledo, con el marqués de Mirabal y con don Miguel de Guerra [9], los cuatro más encarnizados enemigos de Felipe V.

---

[9] *El marqués de Mirabal y don Miguel de Guerra*: Personajes históricos, asesores en el gabinete que se formó para ayudar políticamente a Luis I.

El duque de Monteclaro no reconoció al antiguo paje, compañero de infancia de su encantadora hija.

En otro lado, y no sin cierta impresión de miedo, el *Amigo de la Muerte* vio, entre las damas que rodeaban a la joven y hermosa Luisa Isabel de Orleáns, a su implacable y eterna enemiga: la condesa de Rionuevo.

Gil Gil pasó casi rozando con su vestido al ir a besar la mano a la Reina.

La condesa no reconoció tampoco al hijo natural de su marido.

En esto se levantó un tapiz detrás del grupo que formaban las damas, y apareció, entre otras dos o tres, que Gil Gil no conocía, una mujer alta, pálida, hermosísima...

Era Elena de Monteclaro.

Gil Gil la miró intensamente y la joven se estremeció al ver aquella fúnebre y bella fisonomía, cual si contemplara el espectro de un difunto adorado: cual si tuviese ante sus ojos, no a Gil, sino su sombra envuelta en la mortaja; cual si viese, en fin, un ser del otro mundo.

¡Gil en la Corte! ¡Gil consolando a la Reina, a aquella princesa altiva y burlona que todo lo desdeñaba! ¡Gil, con aquel lujoso traje, mirado y considerado de toda la nobleza!...

«¡Ah! ¡Sin duda es un sueño!» —pensó la encantadora Elena.

—Venid, doctor... —dijo en esto el marqués de Mirabal—: Su majestad ha despertado.

Gil hizo un penoso esfuerzo para sacudir el éxtasis que embargaba todo su ser al verse enfrente de su adorada, y se acercó a la cama del virulento.

El segundo Borbón de España era un mancebo de diecisiete años, flaco, largo y raquítico, como planta que crece a la sombra.

Su rostro (que no había carecido de cierta finura

234

de expresión, a pesar de la irregularidad de sus facciones) estaba ahora espantosamente hinchado y cubierto de cenicientas pústulas.

Parecía un tosco boceto de escultura modelado en barro.

Tendió el Rey niño una angustiosa mirada a aquel otro adolescente que se acercaba a su lecho, y al encontrarse con sus mudos y sombríos ojos, insondables como el misterio de la eternidad, dio un ligero grito y ocultó el semblante bajo las sábanas.

Gil Gil, en tanto, miraba a los cuatro ángulos de la habitación buscando a la *Muerte.*

Pero la *Muerte* no estaba allí.

—¿Vivirá? —le preguntaron en voz baja algunos cortesanos, que habían creído leer una esperanza en el rostro de Gil Gil.

Iba a decir *que sí,* olvidando que su opinión debía darla solamente a Felipe V, cuando sintió que le tiraban de la ropa.

Volvióse, y vio cerca de sí a una persona vestida toda de negro, que se hallaba de espaldas al lecho del Rey...

Era la *Muerte.*

«Morirá de esta enfermedad, pero no hoy» —pensó Gil Gil.

—¿Qué os parece? —le preguntó el arzobispo de Toledo, sintiendo, como todos, aquel invencible respeto que infundía el rostro sobrehumano de nuestro joven.

—Dispensadme... —respondió el ex zapatero—. Mi opinión queda reservada para el que me envía...

—Pero vos... —añadió el marqués de Mirabal—, vos, que sois tan joven, no podéis haber aprendido tanta ciencia... Indudablemente, Dios o el diablo os la ha infundido... Seréis un santo que hace milagros o un mago amigo de las brujas...

—Como gustéis... —respondió Gil Gil—. De un

modo o de otro, yo leo en el porvenir del príncipe que yace en ese lecho; secreto por el cual diérais alguna cosa, pues resuelve la duda de si mañana seréis el privado de Luis I o el prisionero de Felipe V.

—¡Y qué! —balbuceó el de Mirabal, pálido de ira, pero sonriendo levemente.

En esto reparó Gil Gil en que la *Muerte,* no contenta con acechar al Monarca, aprovechaba su permanencia en la cámara real para sentarse al lado de una dama..., casi en su misma silla..., y mirarla con fijeza.

La *sentenciada* era la condesa de Rionuevo.

«¡Tres horas!» —pensó Gil Gil.

—Necesito hablaros... —seguía diciéndole, entretanto, el marqués de Mirabal, a quien se le había ocurrido, nada menos que comprar su secreto al extraño médico.

Pero una mirada y una sonrisa de Gil, que adivinó los pensamientos del marqués, desconcertaron a éste de tal modo que retrocedió un paso.

Aquella mirada y aquella sonrisa eran las mismas que habían dominado por la mañana a Felipe V.

Gil aprovechó aquel momento de turbación de Mirabal para dar un gran paso en su carrera y fijar su reputación en la corte.

—Señor... —dijo al arzobispo de Toledo—. La condesa de Rionuevo, a quien veis tranquila y sola en aquel rincón... (ya sabemos que la *Muerte* sólo era visible a los ojos de Gil), morirá antes de tres horas. Aconsejadle que disponga su espíritu para el supremo trance.

El arzobispo retrocedió espantado.

—¿Qué es eso? —preguntó don Miguel de Guerra.

El prelado contó a varias personas las profecías de Gil Gil, y todos los ojos se fijaron en la condesa, que, efectivamente, empezaba a palidecer horriblemente.

Gil Gil, entretanto, se acercaba a Elena.

Elena estaba en medio de la cámara, de pie sobre el

236

mármol del pavimento, inmóvil y silenciosa como una noble escultura.

Desde allí, fanatizada, subyugada, poseída de un terror y de una felicidad que no podían definirse, seguía todos los movimientos del amigo de su infancia.

—Elena... —murmuró el joven al pasar a su lado.

—Gil... —contestó ella maquinalmente—. ¿Eres tú?

—¡Sí, soy yo! —replicó él con idolatría—. Nada temas...

Y salió de la habitación.

El capitán lo esperaba en la antecámara.

Gil Gil escribió algunas palabras en un papel, y dijo al fiel servidor de Felipe V:

—Tomad... y no perdáis un momento. ¡A La Granja!

—Pero... ¿y vos? —replicó el capitán—. Yo no puedo dejaros. Estáis preso bajo mi custodia.

—Lo estaré bajo mi palabra... —respondió Gil con nobleza—. No puedo seguiros.

—Mas... el Rey...

—El Rey aprobará vuestra conducta.

—¡Imposible!

—Escuchad, y veréis cómo tengo razón.

En este momento se oyó en la cámara real un fuerte murmullo.

—¡El médico! ¡Ese médico!... —salieron gritando algunas personas.

—¿Qué ocurre? —preguntó Gil Gil.

—La condesa de Rionuevo se muere... —dijo don Miguel de Guerra—. ¡Venid! Por aquí... Ya estará en la cámara de la Reina...

—Id, capitán... —murmuró Gil Gil—. Yo os lo digo.

Y apoyó estas palabras con una mirada y un gesto tales que el soldado partió sin replicar palabra.

Gil siguió a Guerra y penetró en la cámara de la esposa de Luis I.

VIII

REVELACIONES

—¡Oye! —dijo una voz a Gil Gil cuando caminaba hacia el lecho en que yacía la condesa de Rionuevo.

—¡Ah! ¿Eres tú? —exclamó nuestro joven, reconociendo a la *Muerte*—. ¿Ha expirado ya?

—¿Quién?

—La condesa...

—No.

—Pues ¿cómo la abandonas?

—No la he abandonado, amigo mío, sino que, como ya te he dicho, yo estoy a un mismo tiempo en todas partes y bajo diversas formas.

—Bien...; ¿qué me quieres? —preguntó Gil con cierto disgusto al oír aquella sentencia.

—Vengo a hacerte otro favor.

—¡Así será él! Habla.

—¿Sabes que vas faltándome al respeto? —exclamó la *Muerte* con mucha sorna.

—Es natural... —respondió Gil—. La confianza..., la complicidad...

—¿Qué es eso de complicidad?

—¡Nada!... Aludo a una pintura que vi cuando niño. Representaba a la *Medicina*. En una cama yacían dos personas, o, por mejor decir, un hombre y su enfermedad. El médico había entrado en la habitación con los ojos vendados y armado de un garrote, y una vez cerca de la cama había empezado a dar palos de ciego sobre el enfermo y sobre la enfermedad... No recuerdo precisamente quién fue antes víctima de los golpes... Creo que fue el enfermo.

—¡Donosa alegoría! Pero vamos a cuentas...

—Sí..., vamos..., que todos se extrañan de verme así, tan solo, parado en medio de la cámara.

—¡Déjalos! Creerán que meditas o que aguardas la inspiración. Óyeme un momento. Tú sabes que lo pasado me pertenece de derecho, y que puedo referírtelo... No así lo por venir...

—¡Adelante!

—¡Un poco de paciencia! Vas a hablar por última vez con la condesa de Rionuevo, y es de mi deber contarte cierta historia.

—Es inútil. Yo perdono a esa mujer.

—¡Se trata de Elena, majadero! —exclamó la *Muerte*.

—¡Cómo!

—Digo se trata de que seas noble y puedas casarte con ella.

—¡Noble lo soy ya!... El Rey Felipe V me hace duque.

—Monteclaro no se contentará con un advenedizo... Necesitas ascendientes.

—¿Y qué?

—Ya te tengo dicho que eres el último vástago de los Rionuevo.

—¡Sí!..., pero... adulterino.

—¡Te equivocas! ¡Natural... y muy natural!

—Sea..., pero ¿quién prueba eso?

—Es precisamente lo que voy a decirte.

—Habla.

—Oye, y no me interrumpas. La condesa es la tremenda esfinge de tu vida...

—Ya lo sé...

—¡Ella tiene en su mano toda tu felicidad!

—¡Lo sé también!

—Pues ha llegado la ocasión de arrancársela.

—¿De qué manera?

—Verás. Como tu padre te amaba tanto...

239

—¡Ah! ¿Me amaba mucho? —exclamó Gil Gil.

—¡Te he dicho que no me interrumpas! Como tu padre te amaba tanto, no se fue de este mundo sin pensar muy seriamente en tu porvenir.

—¡Pues qué! ¿No murió *ab intestato* el conde?

—¿De dónde sacas eso?

—Así consta en todas partes.

—¡Pura invención de la condesa para apoderarse de todo el dinero del conde y dejar luego por heredero a cierto sobrino!...

—¡Oh!

—¡Calma, que todo puede arreglarse! Tu padre poseía una declaración de Crispina López, otra de Juan Gil y además una justificación facultativa en toda forma que acreditaban perfectamente que tú eres hijo natural del conde de Rionuevo y de Crispina López, concebido cuando los dos eran solteros. Esto mismo confesó tu padre a la hora de la muerte ante un cura y un escribano que yo vi allí, y que conozco perfectamente... Por cierto que el cura... Pero esto no puedo decírtelo. En fin, el caso es que el conde te nombró su único y universal heredero, cosa que podía hacer con tanta mayor facilidad cuanto que no tenía ningún pariente próximo ni lejano. Ni paró aquí la solicitud con que aquel buen padre echaba los cimientos de tu felicidad futura desde el borde mismo del sepulcro...

—¡Oh, padre mío! —murmuró Gil Gil.

—Escucha. Tú sabes la grande amistad que unía de muy antiguo al honrado conde con el duque de Monteclaro, compañero suyo de armas durante la Guerra de Sucesión...

—Sí, la sé.

—Pues bien —continuó la *Muerte*—: tu padre, adivinando el amor que profesabas a la encantadora Elena, dirigió al duque, pocos momentos antes de expirar, una larga y sentida carta en que se lo declaraba todo, le pedía para ti la mano de su hija y le recordaba tantas y tan señaladas pruebas de amistad como se habían dado en todo tiempo...

—¿Y esa carta? —preguntó Gil con extraordinaria vehemencia.

—Esa carta sola hubiera convencido al duque, y ya serías su yerno... hace muchos años...

—¿Qué ha sido de esa carta? —volvió a preguntar el joven, trémulo de amor y rebosando de ira.

—Esa carta te hubiera ahorrado el entrar en relaciones conmigo... —continuó la *Muerte.*

—¡Oh!... ¡No seas cruel!... ¡Dime que la carta existe!

—Ésa es la verdad.

—¿Conque existe?

—Sí.

—¿Quién la tiene?

—La misma persona que la interceptó.

—¡La condesa!

—La condesa.

—¡Oh!... —exclamó el joven, dando un paso hacia el lecho de agonía.

—Espera —dijo la *Muerte*—. No he concluido aún. La condesa conserva también el testamento de su marido, que casi me arrebató de las manos...

—¿A ti?

—Digo a mí porque el conde estaba ya medio muerto. En cuanto al cura y al escribano, yo te diré dónde viven, y creo que declararán la verdad.

Gil Gil meditó un momento.

Luego, mirando fijamente al fúnebre personaje:

—Es decir... —exclamó—, que si logro apoderarme de esos documentos...

—Mañana puedes casarte con Elena.

—¡Oh, Dios! —murmuró el joven dando otro paso hacia el lecho.

Allí se volvió de nuevo hacia la *Muerte.*

Los cortesanos no comprendían lo que pasaba en el

corazón de Gil Gil. Creíanle solo, o luchando con la visión milagrosa a que debía su peregrina ciencia; pero era tal el terror que ya les inspiraba, que ninguno se atrevía a interrumpirlo.

—Dime —añadió el ex zapatero dirigiéndose a su tremenda compañía—, y ¿cómo es que la condesa no ha quemado esos papeles?

—Porque la condesa, como todos los criminales, es supersticiosa: porque *temía arrepentirse* algún día; porque adivinaba que esos papeles podrían ser en tal situación su pasaporte para la eternidad... En fin: porque es un hecho constante que ningún pecador borra las huellas de sus crímenes, temeroso de olvidarlos a la hora de la muerte y de no poder retroceder por sus mismos pasos hasta encontrar la senda de la virtud. Te repito, pues, que esos papeles existen.

—De modo que en consiguiéndolos Elena será mía... —insistió Gil Gil, dudando siempre que la *Muerte* pudiera procurarle la felicidad.

—Aún *habría* que vencer otro obstáculo... —respondió la *Muerte*.

—¿Cuál?

—Que Elena está prometida por su padre a un sobrino de la condesa, al vizconde de Daimiel.

—¡Cómo! ¿Ella le ama?

—No; pero es lo mismo, puesto que hace dos meses contrajeron esponsales...

—¡Oh!... ¡Conque todo es inútil! —exclamó Gil con desesperación.

—¡Lo hubiera sido sin mí! —replicó la *Muerte*—. Pero ya te dije a las puertas de este palacio que trataba de frustrar una boda...

—¡Cómo! ¿Has matado al vizconde?

—¡Yo!... —exclamó la *Muerte* con cierto terror sarcástico—. ¡Dios me libre!... Yo no lo he matado... Él se ha muerto.

—¡Ah!

—¡Chito!... Nadie lo sabe todavía... Su familia cree en este instante que el pobre joven está durmiendo la siesta. Conque... ¡a ver cómo te portas! Elena, la condesa y el duque se hallan a dos pasos de ti... ¡Ahora, o nunca!

Y así diciendo, la *Muerte* se acercó al lecho de la enferma.

Gil Gil siguió sus pasos.

Muchas de las personas que se hallaban en el aposento, entre ellas el duque de Monteclaro, sabían ya el vaticinio de Gil respecto a que antes de tres horas moriría la condesa de Rionuevo; así es que al verlo casi cumplido, pues de buena y alegre que se hallaba la dama pocos momentos antes, habíase convertido de pronto en un tronco inerte, que agitaban por intervalos violentas convulsiones, empezaron todos a mirar a nuestro amigo con supersticioso terror y fanática idolatría.

La condesa, por su parte, no bien distinguió a Gil, tendió hacia él una mano trémula y suplicante, mientras con la otra hacía seña de que los dejasen solos.

Alejáronse todos del lecho, y Gil se sentó al lado de la moribunda.

IX

EL ALMA

Aunque la condesa de Rionuevo, la terrible enemiga de Gil Gil, hace tan odioso papel en nuestra historia, no era, como muchos habrán quizá imaginado, una mujer vieja o fea, o fea y vieja a un mismo tiempo... La naturaleza física es también hipócrita algunas veces.

La ilustre moribunda, que a la sazón tendría treinta y cinco años, se hallaba en toda la plenitud de una magnífica hermosura. Era alta, recia y muy bien formada. Sus ojos, azules como la mar, pérfidos como ella, encubrían hondos abismos bajo su apariencia lánguida y suave. La frescura de su boca, la morbidez de sus facciones revelaban que ni el dolor ni la pasión habían trabajado nunca aquella insensible belleza. Así es que al verla ahora caída y paciente, dominada por el terror y vencida por el sufrimiento, el alma menos compasiva hubiera experimentado cierta rara piedad muy parecida al susto o al espanto.

Gil Gil, que tanto odiaba a aquella mujer, no dejó de sentir esta complicada impresión de lástima y asombro, y cogiendo maquinalmente la hermosa mano que le tendía la enferma, murmuró con más tristeza que resentimiento:

—¿Me conocéis?

—¡Salvadme! —respondió la moribunda sin escuchar la pregunta de Gil Gil.

En esto se deslizó por detrás de las cortinas un nuevo personaje, y vino a colocarse entre los dos interlocutores, apoyando su codo en la almohada y la cabeza sobre una mano.

Era la *Muerte*.

—¡Salvadme! —repitió la condesa, a quien la intuición del miedo le había ya revelado que nuestro héroe la aborrecía—. Vos sois hechicero... Dicen que habláis con la *Muerte*... ¡Salvadme!

—¡Mucho teméis el morir, señora! —respondió el joven con despego, soltando la mano de la enferma.

Aquella estúpida cobardía, aquel terror animal que no dejaba paso a ninguna otra idea, a ningún otro afecto, disgustó profundamente a Gil Gil, por cuanto le dio la medida del espíritu egoísta de la autora de todos sus males.

—¡Condesa! —exclamó entonces—. ¡Pensad en vuestro pasado y en vuestro porvenir! ¡Pensad en Dios y en vuestro prójimo!... ¡Salvad el alma, supuesto que el cuerpo ya no os pertenece!

—¡Ah, voy a morir! —exclamó la condesa.

—¡No..., condesa..., no vais a morir!

—¡No voy a morir! —gritó la pobre mujer con una alegría salvaje.

El joven continuó con la misma seriedad:

—¡No vais a morir, porque nunca habéis vivido!... Al contrario, ¡vais a nacer a la vida del alma, que para vos será un sufrimiento eterno, como para los justos es una eterna bienaventuranza!

—¡Ah! ¡Conque voy a morir! —murmuró la enferma nuevamente, derramando lágrimas por la primera vez de su vida.

—¡No, condesa, no vais a morir! —replicó otra vez el médico con indecible majestad.

—¡Ah! ¡Tenedme compasión! —exclamó la pobre mujer recobrando la esperanza.

—No vais a morir —prosiguió el joven—, supuesto que lloráis. El alma nunca muere, y el arrepentimiento puede abriros las puertas de una eterna vida...

—¡Ah, Dios mío! —exclamó la condesa, rendida por aquella cruel incertidumbre.

—Hacéis bien en llamar a Dios. ¡Salvad el alma!, os repito... ¡Salvad el alma! Vuestro cuerpo hermoso, vuestro ídolo de tierra, vuestro sacrílego existir han concluido para siempre. Esta vida temporal, estos goces del mundo, aquella salud y aquella belleza, y aquel regalo y aquella fortuna que tanto procurasteis conservar; los bienes que usurpasteis; el aire, el sol; el mundo que hasta aquí habéis conocido, todo lo vais a perder; todo ha desaparecido ya; todo será mañana para vos polvo y tinieblas, vanidad y podredumbre, soledad y olvido: sólo os queda el alma, condesa... ¡Pensad en vuestra alma!

—¿Quién sois? —preguntó sordamente la moribunda, fijando en Gil Gil una atónita mirada—. Yo os he conocido antes de ahora .. Vos me aborrecéis... Vos sois quien me matáis... ¡Ah!...

En este instante la *Muerte* colocó su mano pálida sobre la cabeza de la enferma, y dijo:

—Concluye, Gil: concluye..., que la hora eterna se aproxima.

—¡Ah! ¡Yo no quiero que muera! —respondió Gil—. ¡Aún puede enmendarse, aún puede remediar todo el mal que ha hecho!... ¡Salva su cuerpo, y yo te respondo de salvar su alma!

—Concluye, Gil; concluye —repitió la *Muerte*—, que la hora eterna va a sonar.

—¡Pobre mujer! —murmuró el joven con piedad a la condesa.

—¡Me compadecéis! —dijo la agonizante con inefable ternura—. Nunca he agradecido..., nunca he amado..., nunca he sentido lo que por vos siento... ¡Compadecedme!... ¡Decídmelo!... ¡Mi corazón se ablanda al escuchar vuestra voz entristecida!

Y era verdad.

La condesa, exaltada por el terror en aquel supremo trance, atribulada por los remordimientos, temerosa del castigo, desposeída de cuanto había constituido su orgullo y sus aficiones sobre la tierra, empezaba a sentir los primeros suspiros de un alma que hasta entonces había permanecido escondida y silenciosa allá en los últimos ámbitos de su mente; alma siempre insultada, pero rica en paciencia y heroísmo; alma, en fin, comparable a la triste hija de padres criminales y viciosos que piensa, calla, se oculta de su vista y llora en rincones de la casa, hasta que un día, al primer síntoma de arrepentimiento que nota en ellos, recobra el valor, corre a sus brazos, y les deja oír su voz pura y divina, cántico de alondra, música del cielo, que parece saluda el amanecer de la virtud después de las tinieblas del pecado...

—¡Me preguntáis quién soy! —respondió Gil comprendiendo todo esto—. ¡Ya no lo sé yo! Era vuestro mortal enemigo; pero ahora ya no os odio. ¡Habéis oído la voz de la verdad…, la voz de la muerte…, y vuestro corazón ha respondido! ¡Dios sea loado! ¡Yo venía a este lecho de dolor a pediros la felicidad de mi vida…, y ya me iría gustoso sin ella porque creo haber labrado vuestra felicidad…, porque he salvado vuestra alma! ¡Jesús divino: he aquí que he perdonado las injurias y hecho el bien a mi enemigo!… Estoy satisfecho…; soy feliz…; no pido más.

—¿Quién eres, misterioso y sublime niño? ¿Quién eres tú, tan bueno y tan hermoso, que vienes como un ángel a la cabecera de mi lecho de agonía, y me haces tan dulces mis últimos momentos? —preguntó la condesa, cogiendo con ansia las manos de Gil Gil.

—¡Yo soy el *Amigo de la Muerte!*… —respondió el joven—. No extrañéis, pues, que serene vuestro corazón. Yo os hablo en nombre de la *Muerte,* y por eso me habéis creído. Yo he venido a vos delegado por aquella divinidad piadosa que es la paz de la tierra, que es la verdad de los mundos, que es la redentora del espíritu, que es la mensajera de Dios, que lo es todo, menos el olvido. El olvido está en la vida, condesa, no en la muerte. Recordad… y me conoceréis.

—¡Gil Gil! —exclamó la condesa, perdiendo el sentido.

—¿Se ha muerto? —preguntó el médico a la *Muerte.*

—No. Aún le queda media hora.

—Pero… ¿hablará todavía?

—¡Gil!… —suspiró la moribunda.

—Acaba… —añadió la *Muerte.*

El joven se inclinó sobre la condesa, cuyo hermoso semblante resplandecía con una belleza nueva, inmortal, divina; y de aquellos ojos, donde el fuego de la vida se quebraba en lánguidas y melancólicas luces; de aquella boca anhelante y entreabierta que la fiebre coloreaba; de aquellas manos suaves y ardorosas; de aquel blanco cuello que se extendía hacia él con infinita angustia, recibió tan elocuente expresión de arrepentimiento y ternura, tan íntima caricia y frenético ruego, tan infinita y solemne promesa, que, sin vacilar un instante, apartóse del lecho, llamó al duque de Monteclaro, al arzobispo y a otros tres nobles de los muchos que había en la cámara, y les dijo:

—Escuchad la confesión pública de un alma que vuelve a Dios.

Los personajes susodichos se acercaron a la moribunda, arrastrados más por el inspirado rostro que por las palabras de Gil Gil.

—Duque —murmuró la condesa al ver a Monteclaro—, mi confesor tiene una llave... Señor... —continuó volviéndose al arzobispo—, pedídsela... Este niño, este médico, este ángel, es hijo *natural reconocido* del conde de Rionuevo; mi difunto esposo, quien, al morir, os escribió una carta, duque, pidiéndoos para él la mano de Elena. Con esa llave... en mi alcoba... todos los papeles... ¡Yo lo ruego!... ¡Yo lo mando!...

Dijo, y cayó sobre la almohada sin luz en los ojos, sin aliento en los labios, sin color en el semblante.

—Va a expirar... —exclamó Gil Gil—. Quedad con ella, señor... —añadió, dirigiéndose al arzobispo—. Y vos, señor duque, escuchadme.

—Aguarda... —dijo la *Muerte* al oído de nuestro joven.

—¿Qué más? —respondió éste.

—¡No la has perdonado!...

—¡Gil Gil!... ¡Tu perdón!... —tartamudeó la moribunda.

—¡Gil Gil! —exclamó el duque de Monteclaro—. ¿Eres tú?

—Condesa, ¡que Dios os perdone como yo os perdono!... ¡Morid en paz! —dijo con religioso acento el hijo de Crispina López.

En esto se inclinó la *Muerte* sobre la condesa y puso los labios en su frente...

Aquel beso resonó en el pecho de un cadáver.

Una lágrima fría y turbia corrió por el rostro de la muerta.

Gil enjugó las suyas y respondió al de Monteclaro:

—Sí, señor duque; yo soy.

El arzobispo rezaba fúnebres oraciones a la cabecera del lecho.

Entretanto, la *Muerte* había desaparecido.

Eran las doce de la noche.

X

HASTA MAÑANA

—Buscad esos papeles, señor duque —dijo Gil Gil—, y hacedme la merced de hablar con Elena.

—¡Venid, señor doctor, venid! El Rey se muere... —exclamó don Miguel de Guerra interrumpiendo al *Amigo de la Muerte*.

—Seguidme, señor duque... —dijo el joven con gran respeto—. Han dado las doce, y puedo comunicaros una noticia muy importante, no sé si buena o mala. Esto es: puedo deciros si Luis I morirá o no morirá durante el día que principia en este momento.

En efecto; ya había empezado el día 31 de agosto, en que Luis I debía entregar su espíritu al Criador. Gil Gil tuvo la certeza de ello al ver que la *Muerte* se hallaba de pie, en medio de la cámara, con los ojos fijos en el regio enfermo.

—Hoy muere el Rey... —dijo Gil Gil al oído de Monteclaro—. Esta noticia es el regalo de boda que hago a Elena. Si conocéis el valor de tal regalo, guardadlo en secreto, y sírvaos de regla de conducta con Felipe V.

—Elena está prometida a otro... —replicó el duque.

249

—El sobrino de la condesa de Rionuevo ha muerto esta tarde —interrumpió Gil Gil.

—¡Oh! ¿Qué es esto que nos pasa? —exclamó el duque—. ¿Quién eres tú, a quien yo conocí niño, y que ahora me espantas con tu poder y tu ciencia?

—La Reina os llama... —dijo en este momento una dama al duque de Monteclaro, el cual permanecía absorto.

Aquella dama era Elena.

El duque se acercó a la Reina, dejando solos en medio de la cámara a los dos amantes.

No solos, pues a tres pasos de ellos estaba la *Muerte*.

Elena y Gil Gil quedaron de pie mirándose, sin acertar a decirse una palabra, como asustados de verse, como si temieran que su mutua presencia fuese un sueño del que despertarían al tenderse la mano o al lanzar el más leve suspiro.

Ya otra vez, aquella tarde, al encontrarse en aquel mismo sitio, ambos experimentaron, en medio de su inefable alegría, cierta secreta angustia, semejante a la que sentirían dos amigos que, al cabo de mucho tiempo de total ausencia, se reconociesen en una cárcel, al clarear el día del suplicio, cómplices sin saberlo de un delito fatal o víctimas ambos de idéntica persecución...

También pudiera decirse que el doloroso júbilo con que se reconocieron Gil y Elena fue semejante al amargo placer con que el cadáver de un marido celoso (si los cadáveres sintiesen) sonreiría dentro de la tumba al oír abrir una noche la puerta del cementerio y comprender que era el cadáver de su esposa el que llevaban a enterrar...

«—¡Ya estás aquí! —diría el pobre muerto—; ¡ya estás aquí!... Hace cuatro años que cuento solo las noches y los días, pensando en lo que harías en el mundo, tú, tan hermosa y tan ingrata, que te quitarías el luto al año de mi muerte. ¡Mucho has tardado!... Pero ya estás aquí. Si entre nosotros no es ya posible el amor, en cambio tampoco son posibles las infidelidades, y muchísimo menos el olvido... ¡Nos pertenecemos negativamente! Aunque nada nos une, es tamos unidos, puesto que nada nos separa. A los celos, a la incertidumbre, a las zozobras de la vida ha sustituido una eternidad de amor o de recuerdos. ¡Todo te lo perdono!»

Estas ideas, si bien dulcificadas un tanto por la suavidad de los caracteres de Gil y Elena, por la inocencia de ella, por la alta inteligencia de él y por la elevada virtud de ambos, lucían en el alma de los dos amantes como fúnebres antorchas, a cuya luz veían un porvenir ilimitado de pacífico amor, que nadie podría turbar ni destruir, a menos que todo lo que les pasaba fuese un fugitivo sueño.

Miráronse, pues, mucho tiempo con fanática idolatría.

Los ojos azules de Elena se abismaban en los oscuros ojos de Gil Gil, como el alto cielo envía inútilmente sus claridades a las tinieblas de nuestras noches, mientras que los ojos negros de Gil Gil se perdían en la insondable diafanidad de los celestes purísimos ojos de Elena, como la vista y la idea, y hasta el sentimiento, se fatigan inútilmente cuando miden la inmensidad de los espacios infinitos.

Así hubieran permanecido no sabemos cuánto tiempo, creemos que toda la eternidad, si la *Muerte* no hubiera llamado la atención a Gil Gil.

—¿Qué me quieres? —murmuró el joven.

—¿Qué he de querer? —respondió la *Muerte*—. ¡Que no la mires más!

—¡Ah! ¡Tú la amas! —exclamó Gil con indecible angustia.

—Sí... —contestó la *Muerte* con dulzura.

—¡Piensas arrebatármela!

—¡No! Pienso unirte a ella.

—Un día me dijiste que no la estrecharían otros brazos que los tuyos o los míos... —murmuró Gil Gil con desesperación—. ¿De quién va a ser antes? ¿Mía o tuya? ¡Dímelo!

—¡Tienes celos de mí!

—¡Horrorosos!

—¡Haces mal!... —replicó la *Muerte*.

—¿De quién va a ser antes? —repitió el joven cogiendo las heladas manos de su amigo.

—No te puedo responder. Dios, tú y yo, nos la disputamos... Pero no somos incompatibles.

—¡Dime que no piensas matarla!... ¡Dime que me unirás a ella en este mundo!...

—¡*En este mundo!* —repitió la *Muerte* con ironía—. Será *en este mundo*... Yo te lo prometo.

—¿Y después?

—Después... será de Dios.

—¿Y tuya? ¿Cuándo?

—Mía... ¡Lo ha sido ya!

—Me vuelves loco. ¿Elena vive?

—¡Lo mismo que tú! —replicó la *Muerte*.

—Pero... ¿vivo yo?

—Más que nunca.

—¡Habla, por piedad!

—Nada tengo que decirte... Todavía no podrías comprenderme. ¿Qué es el morir? ¿Te lo has explicado? ¿Qué es la vida? ¿Te la has explicado alguna vez? Pues si ignoras el valor de esas palabras, ¿a qué me preguntas si estás muerto o vivo?

—Pero ¿las entenderé alguna vez? —exclamó Gil Gil desesperado.

—Sí... Mañana... —respondió la *Muerte*.

—¡Mañana! No te comprendo.

—Mañana serás esposo de Elena.

—¡Ah!

—Y yo seré quien os apadrine... —continuó la *Muerte*.

—¡Tú! ¿Piensas acaso matarnos?

—Nada de eso. Mañana serás rico, noble, poderoso, feliz... ¡Mañana también lo sabrás todo!

—¿Conque me amas? —exclamó Gil Gil.

—¿Si te amo? —replicó la *Muerte*—. ¡Ingrato! ¿Cómo lo dudas?

—Pues hasta mañana... —dijo Gil Gil, dando la mano a la terrible divinidad.

Elena seguía de pie delante de Gil Gil.

—*Hasta mañana...* —respondió ella, como si hubiese oído aquella frase, como si respondiese a otra secreta voz, como si adivinase los pensamientos del joven.

Y se volvió lentamente y salió de la cámara real.

Gil se acercó al lecho del Rey.

El duque de Monteclaro, colocóse al lado de nuestro amigo, y le dijo a media voz:

—Hasta mañana... Si muere el Rey, mañana se verificará vuestro enlace con mi hija. La Reina acaba de participarme la muerte del vizconde de Rionuevo... Yo le he anunciado vuestras bodas con Elena y las aplaude con todo su corazón. Mañana seréis el primer personaje de la corte si efectivamente baja hoy al sepulcro Luis I.

—¡Pues no lo dudéis, señor duque! —respondió Gil Gil con acento sepulcral.

—Entonces ¡hasta mañana! —repitió solemnemente Monteclaro.

XI

GIL VUELVE A SER DICHOSO, Y ACABA LA PRIMERA PARTE DE ESTE CUENTO

Al día siguiente, el 1 de septiembre de 1724, a las nueve de la mañana, paseábase Gil Gil por una sala del palacio de Rionuevo.

Aquel palacio le pertenecía, puesto que ya era conde y estaba legitimado en virtud del testamento y demás papeles de su padre, que el duque de Monteclaro y el arzobispo de Toledo encontraron en el lugar que dijo la condesa.

Además, la noche antes un mensajero le había entregado de parte de Felipe V, quien al fin se decidía a volver al trono de San Fernando, un título de médico de cámara, el nombramiento de Duque de la Verdad y treinta mil pesos en oro.

En fin: al otro día debía verificarse su matrimonio con Elena de Monteclaro.

Por lo que respecta a la *Muerte*, Gil Gil la había perdido completamente de vista desde la mañana anterior que salió de palacio llevándose el alma de Luis I.

Sin embargo, nuestro joven recordaba que la implacable deidad le había ofrecido apadrinarlo en su casamiento con Elena, y ved la razón de que se paseara tan pensativo.

—¡He aquí —decía— que ya soy noble, rico y poderoso! ¡Heme aquí dueño de la mujer que idolatro!... Y, sin embargo, no soy feliz. Anoche, al mirar a Elena, y luego en mi última plática con la *Muerte*, he creído entrever no sé qué pavorosos misterios. ¡Yo necesito romper mis relaciones con el siniestro numen que me ha protegido!... Será una ingratitud... ¡Que lo sea! ¡Ya tendrá con el tiempo ocasión de vengarse! No... ¡No quiero ver más a la *Muerte*!... ¡Soy tan feliz!...

El nuevo duque púsose a excogitar la manera de no tener amistad con la *Muerte* sino en la última hora de su vida.

Es un hecho —continuaba— que yo no me moriré hasta que Dios quiera. ¡La *Muerte*, por sí y ante sí, no puede hacerme ningún daño, dado que no está en sus facultades acelerar mi fallecimiento ni el de Elena! La cuestión, por tanto, es no verla, no oírla a todas horas. Su voz me espanta, sus revelaciones me desconsuelan, sus discursos me inspiran desprecio a la vida y a las cosas. ¿Cómo haré yo para que no siga siendo mi pesadilla? ¡Ah, qué idea!... La *Muerte* no se presenta sino donde tiene algo que matar... ¡Viviendo en el campo..., sin ver gente..., solo con Elena..., mi enemiga me dejaría en paz hasta que, por decreto del Altísimo, fuese directamente a buscarnos a uno de los dos! Y entretanto, para no verla tampoco en Madrid, viviré con los ojos vendados...

Entusiasmado con este último pensamiento nuestro joven radió de alegría como si acabara de salir de una larga enfermedad y se creyese asegurado sobre la tierra hasta la consumación de los siglos.

... ...

A la tarde siguiente, a las seis, Gil Gil y Elena de Monteclaro contrajeron matrimonio en una hermosa quinta situada al pie del Guadarrama y perteneciente al nuevo conde y duque.

A las seis y media regresó a Madrid la comitiva, y quedaron solos nuestros desposados en un frondosísimo jardín.

El antiguo Gil Gil no había vuelto a ver a la *Muerte*.

Y aquí pudiera terminar la presente historia, y, sin embargo, aquí es donde verdaderamente principiará a ser interesante y clara.

XII

EL SOL EN EL OCASO

> Amaba y era amada; adoraba
> y era adorada. Siguiendo la ley de
> la naturaleza, las almas de los dos
> amantes al confundirse la una con
> la otra, hubieran dejado de existir
> en la embriaguez de la pasión si las
> almas pudieran morir.
>
> (LORD BYRON.) [10]

Gil y Elena se amaban, se pertenecían, eran libres, estaban solos.

Los recuerdos de su infancia, los latidos de su corazón, la voluntad de sus padres, la fortuna, el nacimiento, la bendición de Dios, todo los unía, todo los enlazaba.

Los que se vieron con placer desde muy niños; los que se prendaron recíprocamente de su belleza cuando adolescentes; los que habían llorado a unas mismas horas los tormentos de la ausencia, Gil y Elena, Elena y Gil; aquellas dos almas inseparables por predestinación, perdían al fin, en hora tan mística y solemne, su individualidad mísera y solitaria para confundirse en un porvenir inmenso de ventura, como dos ríos nacidos en una misma montaña, y alejados uno de otro en su tortuoso curso, se reúnen y se identifican en la soledad infinita del Océano.

Era por la tarde, pero no parecía la tarde de un solo día, sino la tarde de la existencia del mundo, la

---

[10] George Noel Gordon Byron (Lord Byron), Londres, 1788-1824, Grecia. Considerado uno de los grandes poetas románticos, se conoció en España a través del francés, y en prosa.

tarde de todo el tiempo transcurrido desde la Creación.

El sol declinaba melancólicamente hacia el ocaso. Las esplendorosas luces de Poniente doraban la fachada de la quinta, filtrándose a través de los lujosos y verdes pámpanos de una extensa parra, especie de dosel que cobijaba a los dos nuevos esposos. El aire sosegado y tibio, las últimas flores del año, las aves inmóviles en las ramas de los árboles, toda la naturaleza, en fin, asistía muda y asombrada a la muerte de aquel día, a aquella puesta del sol, como si debiera ser la última que presenciasen los humanos; cual si el astro-rey no hubiera de volver al día siguiente tan generoso y alegre, tan pródigo de vida y juventud como se había presentado tantas mañanas consecutivas durante tantos miles de siglos...

Diríase que en aquel punto el tiempo se había parado; que las horas, rendidas de su continua danza, se habían sentado a descansar sobre la hierba y se contaban las patéticas historias del amor y de la muerte, como jóvenes pensionistas que, fatigadas de jugar, hacen corro en el jardín de un convento y se refieren las aventuras de su niñez y los delirios de su adolescencia.

Diríase también que en aquel momento terminaba un período de la historia del mundo; que todo lo criado se daba una despedida eterna: el pájaro, a su nido; el céfiro, a las flores; los árboles, a los ríos; el sol, a las montañas; que la íntima unión en que todos habían vivido, prestándose mutuamente color o fragancia, música o movimiento, y confundiéndose en una misma palpitación de la existencia universal, habíase interrumpido para siempre y que en adelante cada uno de aquellos elementos quedaría sometido a nuevas leyes e influencias.

Diríase, en fin, que en aquella tarde iba a disolverse la asociación misteriosa que constituye la unidad y la armonía de los orbes; asociación que hace imposible la muerte de la más fútil de las cosas creadas; que transforma y resucita continuamente la materia; que de nada prescinde; que todo se lo identifica; que todo lo renueva y embellece.

Más que nada y más que nadie poseídos de esta suprema intuición y de esta alucinación extraña, Gil y Elena, inmóviles también, también silenciosos, cogidos de la mano, atentos a la augusta tragedia de la muerte de aquel día, último de sus desventuras, mirábanse con hondo afán y ciega idolatría, sin saber en qué pensaban, olvidados del universo entero, extáticos y suspendidos, como dos retratos, como dos estatuas, como dos cadáveres.

Quizá creían estar solos sobre la tierra; quizá creían haberla abandonado...

Desde que desaparecieron los testigos de su casamiento; desde que expiró el rumor de sus pasos a lo lejos del camino; desde que el mundo los abandonó completamente, nada se habían dicho, ¡nada!, absortos en la delicia de mirarse.

¡Allí estaban, sentados en un banco de césped; rodeados de flores y verdura; con un cielo infinito ante los ojos; libres y solitarios como dos gaviotas paradas en medio de los desiertos del Océano sobre un alga mecida por las olas!

Allí estaban, embebidos en su mutua contemplación; avaros de su misma dicha; con la copa de la felicidad en la mano; sin atreverse a llevar los labios a ella, temerosos de que todo fuera un sueño, o no codiciando mayor ventura por miedo de perder la que ya sentían...

¡Allí estaban, en fin, ignorantes, vírgenes, hermosos, inmortales, como Adán y Eva en el Paraíso antes del pecado!

Elena, la doncella de diecinueve años, se hallaba en toda la plenitud de su peregrina hermosura, o, por mejor decir, hallábase en aquel fugitivo momento de la juventud de la mujer, en que, poseedora ya de todos sus hechizos, conocedora de su propia naturaleza, colmada de bendiciones del cielo y de promesas de felicidad, puede sentirlo todo y aún no ha sentido nada, es mujer y niña al mismo tiempo... Rosa entreabierta al generoso influjo del sol, que ha desplegado ya todas sus hojas, muestra todos sus encantos y recibe los halagos del céfiro, pero que aún conserva aquella forma, aquel color y aquel perfume que sólo guardan los púdicos pimpollos.

Elena era alta, de formas esbeltas y esculturales, toda bella, artística y seductora. Su redonda cabeza, coronada de cabellos rubios, dorados hacia las sienes y castaños en lo más recio de sus ondas, se adelantaba valientemente sobre un cuello blanco y torneado como el de Juno. Sus ojos azules parecían reflejar lo infinito del pensamiento increado. De aquellos ojos podía decirse que, por mucho que se los miraba, nunca se acababa de verlos. Tenían algo del cielo, además del color y de la pureza.

Y era así: en la mirada de Elena había una luz de eternidad, de espíritu puro, de pasión inmortal, que no pertenecía a la tierra. Su tez, blanca y pálida como el agua al anochecer, ofrecía la transparencia del nácar, pero no reflejaba el rubor de la sangre: sólo alguna delgada vena, de color celeste, interrumpía tan serena y apacible blancura. Dijérase que Elena era de mármol.

Su rostro de ángel tenía, empero, boca de mujer. Aquella boca, bermeja como la flor del granado, húmeda y brillante como la cuna de las perlas, estaba, si puede decirse así, anegada en un vapor tibio y voluptuoso como el suspiro que la mantenía entreabierta. Hubiérase, pues, podido comparar también a Elena a la estatua labrada por Pigmalión [11], cuando, por pri-

---

[11] *Pigmalión*: Mit. Escultor célebre de la isla de Chipre que

mera vez y para besar al artista, movió los hechiceros labios...

Elena, en fin, vestía de blanco, lo cual aumentaba la deslumbradora magnificencia de su hermosura. Sin embargo, era una de esas mujeres que los atavíos nunca logran disfrazar. Acontecía con ella lo que con las nobles Minervas paganas, que dejan adivinar, a través de sus vestiduras, las purísimas formas de la belleza olímpica. La acabada y suprema beldad de la nueva esposa se revelaba también en todo su esplendor, aun bajo la seda y los encajes. Parecía como que su cuerpo radiaba entre los pliegues del vestido blanco, al modo que las náyades y las nereidas [12] iluminan con sus bruñidos miembros el fondo de las olas.

Tal era Elena la tarde de sus bodas con Gil Gil...

Y tal la miraba Gil Gil: ¡tal era suya!

XIII

ECLIPSE DE LUNA

Nunca pusieran fin al triste lloro
los pastores, ni fueran acabadas
las canciones que sólo el monte oía,
si mirando las rubes coloradas,
al transmontar del sol, bordadas de oro,
no vieran que era ya pasado el día.
La sombra se veía
venir corriendo apriesa,
ya por la falda espesa
del altísimo monte...

(GARCILASO.) [13]

se enamoró de su propia escultura de Galatea y se casó con ella, una vez que Venus la vivificó.

[12] *náyades y nereidas*: Mit.: náyades son ninfas que residían en los ríos y en las fuentes. Las nereidas son también ninfas, pero de los mares, semejantes a sirenas.

[13] Garcilaso de la Vega (1503-1536). Versos de la última estrofa de la *Égloga Primera*.

¡Oh! Sí; el joven la miraba... como el ciego mira al sol; que no ve el astro, pero siente el calor en las muertas pupilas.

Después de tantos años de soledad y pena, después de tantas horas de fúnebres visiones, ¡él, EL AMIGO DE LA MUERTE, contemplábase engolfado en un océano de vida, en un mundo de luz, de esperanza, de felicidad!

¿Qué había de decir, qué había de pensar el desventurado, si todavía no acertaba a creer que existía, que aquella mujer era Elena, que él era su esposo, que ambos habían escapado a las garras de la *Muerte?*

—¡Habla, Elena mía!... ¡Dímelo todo! —exclamó al cabo Gil Gil, cuando ya se hubo puesto el sol y los pájaros interrumpieron el silencio—. ¡Habla, bien mío!...

Entonces le contó Elena todo lo que había pensado y sentido durante aquellos tres últimos años; su pena cuando dejó de ver a Gil Gil; su desesperación al marchar a Francia; cómo lo divisó, al partir, a la puerta de su palacio; cómo el duque de Monteclaro se había opuesto a este amor, de que le enteró la condesa de Rionuevo; cómo gozó al encontrarlo en el atrio de San Millán hacía tres días; cuánto sufrió al verlo caer herido por la terrible frase de la condesa... ¡Todo..., todo se lo contó...; porque todo había aumentado su cariño, lejos de entibiarlo!

Caía la noche... y, a medida que se espesaban sus tinieblas, calmábase la secreta angustia que turbaba la dicha de Gil Gil.

«¡Oh! —pensaba el joven atrayendo a Elena sobre su corazón—. La *Muerte* ha perdido mi rastro, y no sabe dónde me encuentro... ¡No vendrá aquí, no!... ¡Nuestro amor inmortal la ahuyentaría! ¿Qué había de hacer la *Muerte* a nuestro lado? ¡Ven, ven, noche tenebrosa, y envuélvenos en tu negro velo!... ¡Ven, aunque hayas de durar siempre!... ¡Ven, aunque el día de mañana no amanezca nunca!

—¡Tiemblas..., Gil!... —balbuceó Elena—. ¡Lloras!...

—¡Esposa mía! —murmuró el joven—. ¡Mi bien!... ¡Mi cielo! ¡Lloro de felicidad!

Dijo, y, cogiendo en sus manos la hechicera cabeza de la desposada, fijó en sus ojos una mirada intensa, delirante, loca.

Un hondo y abrasador suspiro, un grito de embriagadora pasión, se confundió entre los labios de Gil y de Elena.

—¡Amor mío! —tartamudearon los dos en el delirio de aquel primer beso, a cuyo regalado son se estremecieron los espíritus invisibles de la soledad.

En esto salió súbitamente la luna, plena, magnífica, esplendorosa.

Su fantástica luz, no esperada, asustó a los dos esposos, que volvieron la cabeza a un mismo tiempo hacia el Oriente, alejándose el uno del otro no sabemos por qué misterioso instinto, pero sin desenlazar sus manos trémulas y crispadas, frías en aquel instante como el alabastro de un sepulcro.

—¡Es la luna! —murmuraron los dos con enronquecido acento.

Tornaron a mirarse extáticamente, y Gil extendió los brazos hacia Elena con un afán indefinible, con tanto amor como desesperación...

Pero Elena estaba pálida como una muerta.

Gil se estremeció.

—Elena..., ¿qué tienes? —dijo.

—¡Oh, Gil!... —respondió la niña—. ¡Estás muy pálido!

En este momento se eclipsó la luna, como si una nube se hubiese interpuesto entre ella y los dos jóvenes...

Pero, ¡ay! ¡No era una nube!...

262

Era una larga sombra negra, que, vista por Gil Gil desde el césped en que se reclinaba, tocaba en los cielos y en la tierra, enlutando casi todo el horizonte...

Era una colosal figura, que acaso agrandaba su imaginación...

Era un terrible ser, envuelto en larguísima capa oscura, el cual se hallaba de pie, a su lado, inmóvil, silencioso, cubriéndolos con su sombra...

¡Gil Gil adivinó *quién era!*

Elena no veía al lúgubre personaje... Elena seguía viendo a la luna.

XIV

AL FIN... ¡MÉDICO!

Gil Gil estaba entre su amor y la *Muerte*, o sea entre la muerte y la vida.

Sí; porque aquella lúgubre sombra que se había interpuesto entre él y la luna, nublando en el semblante de Elena los resplandores de la pasión, era la divinidad de las tinieblas, la fiel compaña de nuestro héroe desde la triste noche en que el entonces infortunado pensó suicidarse.

—¡*Hola, amigo!* —le dijo como aquella noche.

—¡Ah, calla!... —murmuró Gil Gil, tapándose el rostro con las manos.

—¿Qué tienes, amor mío? —preguntó Elena reparando en la angustia de su esposo.

—¡Elena!... ¡Elena!... ¡No te apartes de mí! —exclamó el joven desesperadamente, rodeando con el brazo izquierdo el cuello de la desposada.

—Tengo que hablarte... —añadió la *Muerte,* cogiendo la mano derecha de Gil Gil y atrayéndolo con dulzura.

—¡Ah! ¡Ven!... ¡Entremos!... —decía la joven, tirando de él hacia la quinta.

—¡No! ¡Ven!... ¡Salgamos!... —murmuraba la *Muerte,* señalándole la puerta del jardín.

Elena no veía a la *Muerte* ni la oía.

Este triste privilegio era sólo del duque de la *Verdad.*

—Gil..., ¡te estoy esperando!... —añadió el siniestro personaje.

El desgraciado se estremeció hasta la medula de los huesos. Copiosas lágrimas cayeron de sus ojos, que Elena enjugó con su mano. Desprendióse luego de los brazos de ésta, y corrió desatentado por el jardín, gritando entre desgarradores sollozos:

—¡Morir, morir ahora!

Elena quiso seguirle; pero, a causa, sin duda, del terror que le causó el estado de su esposo, al dar el primer paso cayó sobre la hierba sin sentido.

—¡Morir, morir! —seguía exclamando el joven con desesperación.

—No temas... —replicó la *Muerte,* acercándosele con afabilidad—. Por lo demás, es inútil que huyas de mí; la casualidad ha hecho que nos encontremos y no pienso abandonarte así como quiera.

—Pero ¿a qué has venido aquí? —exclamó el joven con acento de furor, enjugándose las lágrimas, como quien renuncia a la súplica, y quizá a la prudencia, y encarándose con la *Muerte,* no sin cierto aire de desafío—. ¿A qué has venido aquí? ¡Responde!

Y giró en torno la irritada vista como buscando un arma.

Cerca de él había un azadón perteneciente al jardinero; cogiólo con mano convulsiva, lo levantó en el aire como si fuera débil caña (que la desesperación había duplicado su fuerza), y repitió por tercera vez y con más ira que nunca:

—¿A qué has venido aquí?

La *Muerte* lanzó una carcajada que debiéramos llamar *filosófica*.

El eco de aquella risa se prolongó por mucho rato, repercutiendo en las cuatro tapias del jardín y remedando con su estridente son el chasquido de los huesos de muerto cuando dan unos contra otros.

—¡Quieres matarme! —exclamó por fin el ser enlutado—. ¿Conque la Vida se atreve con la *Muerte?* Esto es curioso… ¡Luchemos!

Dijo, y echando atrás su larga capa negra, mostró un brazo armado de otra especie de azadón (que más parecía una hoz o guadaña) y se puso en guardia enfrente de Gil Gil.

Tomó la luna el color amarillento de la cera que alumbra los templos el Viernes Santo; alzóse un viento tan frío, que hizo gemir de dolor a los árboles cargados de frutos; sintióse el lejano ladrido de muchos perros, o más bien largos aullidos de funeral augurio, y hasta pareció oírse allá, muy alto, en la región de las nubes, el destemplado son de innumerables campanas que tocaban a muerto…

Gil Gil percibió todas estas cosas y cayó de hinojos delante de su antagonista.

—¡Piedad! ¡Perdón! —le dijo con indescriptible angustia.

—Estás perdonado… —respondió la *Muerte,* ocultando su guadaña.

Y como si todo aquel fúnebre aparato de la Naturaleza hubiera provenido del furor de la negra divinidad, no bien lució una sonrisa en los labios de ésta, calmóse el frío de la atmósfera, callaron las campanas, dejaron de aullar los perros y brilló la luna tan dulcemente como al principio de la noche.

—¡Has pretendido luchar conmigo! —exclamó la *Muerte* con buen humor—. ¡Al fin, médico! Levántate, infeliz; levántate, y dame la mano. Te he dicho ya que no temas nada *por esta noche.*

—Pero ¿a qué has venido aquí? —repitió el joven con creciente zozobra—. ¿A qué has venido aquí? ¿Cómo te hallo en mi casa? ¡Tú sólo entras donde tienes que matar a alguien!... ¿A quién buscas?

—Todo te lo diré... Sentémonos un momento... —respondió la *Muerte,* acariciando las heladas manos de Gil Gil.

—Pero Elena... —murmuró el joven.

—Déjala. En este momento está *dormida;* yo velo por ella. Conque vamos a cuentas. Gil Gil..., ¡eres un ingrato! ¡Eres como *todos!* ¡Una vez en la cumbre, das un puntapié a la escalera por donde has subido! ¡Oh! ¡Tu conducta conmigo no tiene perdón de Dios! ¡Cuánto me has hecho padecer en estos últimos días! ¡Cuánto! ¡Cuánto!

—¡Ay!... ¡Yo la adoro! —balbuceó Gil Gil.

—¡Tú la adoras! ¡Eso es!... La habías perdido para siempre; eras un miserable zapatero, y ella se iba a casar con un magnate; me interpongo entre vosotros y te hago rico, noble, afamado; te libro de tu rival; te reconcilio con tu enemiga y me la llevo al otro mundo; te doy, en fin, la mano de Elena, y ¡he aquí que en este momento me vuelves la espalda, te olvidas de mí y te pones una venda en los ojos para no verme!... ¡Insensato! ¡Tan insensato como los demás hombres! ¡Ellos, que deberían estar viéndome siempre con la imaginación, se ponen la venda de las vanidades del mundo y viven sin dedicarme un recuerdo hasta que llego a buscarlos! ¡Mi suerte es bien desgraciada! ¡No guardo memoria de haberme acercado a un *mortal* sin que se haya asustado y sorprendido como si no me esperase nunca! ¡Hasta los viejos de cien años creen que pueden pasar sin mí! Tú, por tu parte, que tienes el privilegio de verme con los sentidos físicos, y que no podrías olvidarte de mí así como quiera, te pusiste el otro día ante los ojos un olvido material, una venda de trapo, y hoy te encierras en un jardín solitario y te crees libre de mí para siempre! ¡Imbécil! ¡Ingrato! ¡Mal amigo! ¡HOMBRE..., y esto lo dice todo!

—Y bien... —tartamudeó Gil Gil, a quien la confusión y la vergüenza no habían hecho desistir de su recelosa curiosidad—, ¿a qué vienes a mi casa?

—Vengo a continuar la misión que el Eterno me ha encomendado cerca de ti.

—Pero ¿no vienes a *matarnos?*

—De ninguna manera.

—¡Ah!... Entonces...

—Sin embargo, ya que logro verte, o, por mejor decir, que *tú me veas,* necesito tomar ciertas precauciones a fin de que no vuelvas a olvidarme.

—¿Y qué precauciones son ésas? —preguntó Gil temblando más que nunca.

—Necesito también hacerte ciertas revelaciones importantísimas...

—¡Ah! ¡Vuelve mañana!

—¡Oh!... No. ¡Imposible! Nuestro encuentro de esta noche es providencial.

—¡Amigo mío! —exclamó el pobre joven.

—¡Y tan amigo! —respondió la *Muerte*—. Porque lo soy necesito que me sigas.

—¿Adónde?

—A mi casa.

—¡A tu casa! ¿Conque vienes a matarme? ¡Ah, cruel! ¡Y ésa es tu amistad! ¡Espantoso sarcasmo! ¡Me haces conocer la ventura y me la arrebatas en seguida!... ¿Por qué no me dejaste morir aquella noche?

—¡Calla, desgraciado! —replicó la *Muerte* con solemne tristeza—. ¡Dices que conoces la felicidad!... ¡Cómo te engañas! ¡A eso propendo yo! ¡A que la conozcas!

—¡Mi felicidad es Elena! ¡Renuncio a todo lo demás!

—Mañana verás más claro.

—¡Mátame, pues! —gritó Gil, con desesperación.

—Sería inútil.

—¡Mátala a ella entonces! ¡Mátanos a los dos!

—¡Cómo deliras!

—¡Ir a tu casa, Dios mío! Pero ¡déjame siquiera despedirme de mi adorada!... ¡Déjame decirle adiós!...

—Accedo a ello... ¡Despierta, Elena! ¡Ven! ¡Yo te lo mando! Mírala... Allí viene...

—Y bien: ¿qué le digo? ¿A qué hora podré volver esta noche?

—Dile..., que al amanecer os veréis.

—¡Oh! ¡No!... ¡Yo no quiero estar contigo tantas horas!... ¡Hoy te tengo más miedo que nunca!

—¡Cuidado conmigo!

—¡No te enojes! —exclamó el desconsolado esposo—. ¡No te enojes, y di la verdad!... ¿Nos veremos, en efecto, al amanecer Elena y yo?

La *Muerte* levantó solemnemente la mano derecha y miró al cielo, mientras que su triste voz respondía:

—Te lo juro.

—¡Oh! Gil... ¿Qué es esto? —exclamó Elena, avanzando por entre los árboles, pálida, gentil y resplandeciente como una personificación mitológica de la luna.

Gil, pálido también como un desenterrado, descompuesto el cabello, torva la mirada, anheloso el corazón, besó en la frente a Elena y dijo con acento sepulcral:

—Hasta mañana. ¡Espérame, vida mía!

—¡Su vida! —murmuró la *Muerte* con honda compasión.

Elena levantó al cielo los ojos, bañados en dulces lágrimas; cruzó las manos poseída de misteriosa angustia y repitió con voz que no era de este mundo:

—Hasta mañana.

Y Gil y la *Muerte* se marcharon, y ella se quedó allí, entre los árboles, de pie, con las manos cruzadas y los brazos caídos, inmóvil, magnífica, intensamente alumbrada por la luna.

Parecía una noble estatua sin pedestal, olvidada en medio del jardín.

XV

EL TIEMPO AL REVÉS

—Mucho tenemos que andar... —dijo la *Muerte* a nuestro amigo Gil luego que salieron de la quinta—. Voy a pedir mi carro.

E hirió con el pie el suelo.

Un sordo ruido, como el que precede al terremoto, resonó debajo de la tierra. Alzóse luego alrededor de los dos amigos un vapor ceniciento, entre cuya niebla apareció una especie de carro de marfil por el estilo de los que vemos en los bajorrelieves de la antigüedad pagana.

A poco que reparase cualquiera (no lo ocultaremos al lector), habría echado de ver que aquel carro no era de marfil, sino pura y simplemente de huesos humanos, pulidos y enlazados con exquisito primor, pero que no habían perdido su forma natural.

Dio la *Muerte* la mano a Gil y montaron en el carro, el cual se alzó por el aire como los globos que conocemos hoy, con la única diferencia de que lo dirigía la voluntad de los que iban dentro.

—Aunque tenemos mucho que andar —continuó la *Muerte*—, ya nos sobra tiempo, pues este carro volará tanto como a mí se me antoje... ¡Tanto como la imaginación! Quiero decir que iremos alternativamente deprisa y despacio, procurando dar una vuelta a toda la Tierra en las tres horas de que podemos disponer. Ahora son las nueve de la noche en Madrid... Caminaremos hacia el Nordeste, y así evitaremos el encontrarnos desde luego con la luz del sol...

269

Gil permaneció silencioso.

—¡Magnífico! ¡Te empeñas en callar! —prosiguió la *Muerte*—. Pues hablaré yo solo. ¡Verás qué pronto te distraen y te hacen romper el silencio los espectáculos que vas a contemplar! ¡En marcha!

El carro, que oscilaba en el aire sin dirección desde que nuestros viajeros subieron a él, púsose en movimiento casi rozando con la Tierra, pero con una velocidad indescriptible.

Gil vio a sus plantas montes, árboles, ríos, despeñaderos, llanuras...; todo en revuelta confusión.

De vez en cuando alguna hoguera le revelaba el albergue de sencillos pastores; pero más frecuentemente el carro pasaba algo despacio por encima de grandes masas pétreas, hacinadas en formas rectangulares, por entre las que cruzaba alguna sombra precedida de una luz..., y al mismo tiempo se oían tañidos de campanas que doblaban a muerto o daban la hora, lo cual es casi lo mismo, y el canto del sereno que la repetía... Reíase entonces la *Muerte* y el carro volaba otra vez sumamente deprisa.

A medida que avanzaban hacia Oriente la oscuridad era más densa, el reposo de las ciudades más profundo, mayor el silencio de la Naturaleza.

La luna huía hacia el ocaso como una paloma asustada, mientras que las estrellas cambiaban de lugar en el cielo como un ejército en dispersión.

—¿Dónde estamos? —preguntó Gil Gil.

—En Francia... —respondió la *Muerte*—. Hemos atravesado ya mucha parte de las dos belicosas naciones que tan encarnizadamente han luchado al principio de este siglo... Hemos visto todo el teatro de la guerra de Sucesión... Vencidos y vencedores duermen en este instante... Mi aprendiz, el sueño, reina sobre los héroes que no murieron entonces en las batallas, ni después de enfermedad o de viejos... ¡Yo no sé cómo abajo no sois amigos todos los hombres! La identidad de vuestras desgracias y debilidades, la necesidad que tenéis los unos de los otros, la brevedad de vuestra vida, el espectáculo de la grandeza infinita de los orbes y la comparación de éstos con vuestra pequeñez, todo debía uniros fraternalmente, como se unen los pasajeros de un buque amenazado de naufragar. En él no hay amores, ni odios, ni ambiciones; nadie es acreedor ni deudor; nadie grande ni pequeño; nadie feo ni hermoso; nadie feliz ni desgraciado. Un mismo peligro los rodea..., *y mi presencia* los iguala a todos. Pues bien: ¿qué es la Tierra, vista desde esta altura, sino un buque que se va a pique, una ciudad presa de la peste o del incendio?

—¿Qué luces fatuas son esas que desde que se ocultó la luna veo brillar en algunos puntos del Globo terrestre? —preguntó el joven.

—Son cementerios... Estamos encima de París. Al lado de cada ciudad, de cada villa, de cada aldea viva hay siempre una ciudad, una villa o una aldea muerta, como la sombra está siempre al lado del cuerpo. La geografía es doble, por consiguiente, aunque vosotros jamás habléis sino de la mitad que os parece más agradable. Con hacer un mapa de todos los cementerios que hay sobre la Tierra, os bastaría para explicar la geografía política de vuestro mundo. Sin embargo, os equivocaríais en la cuantía o número de la población: las ciudades muertas están mucho más habitadas que las vivas: en éstas hay apenas tres generaciones, y en aquéllas se hallan hacinadas a veces por centenares. En cuanto a esas luces que ves brillar, son fosforescencias de los cadáveres, o, por mejor decir, son los últimos fulgores de mil existencias desvanecidas; son crepúsculos de amor, de ambición, de ira, de genio, de caridad; son, en fin, las últimas llamaradas de la luz que se extingue, de la individualidad que desaparece, del ser que devuelve sus sustancias a la madre tierra... Son, y ahora es cuando acierto

271

con la verdadera frase, lo que la espuma que forma el río al fenecer en el Océano.

La *Muerte* hizo una pausa.

Gil Gil sintió al mismo tiempo un estruendo espantoso bajo sus pies, como el trote de mil carros sobre largo puente de madera. Miró hacia la Tierra y no la encontró, sino que vio en su lugar una especie de cielo movible en que se abismaban.

—¿Qué es eso? —preguntó asombrado.

—Es el mar... —dijo la *Muerte*—. Acabamos de cruzar la Alemania y entramos en el mar del Norte.

—¡Ah!... ¡No!... —murmuró Gil, poseído de un terror instintivo—. Llévame hacia otro lado... ¡Quisiera ver el sol!

—Te llevaré a ver el sol aunque retrocedamos para ello. Así verás el curiosísimo espectáculo del *tiempo al revés*.

Giró al carro en el espacio y empezaron a correr hacia el Sudoeste.

Un momento después volvió a escuchar Gil Gil el ruido de las olas.

—Estamos en el Mediterráneo —dijo la *Muerte*—. Ahora cruzamos el estrecho de Gibraltar... ¡He aquí el océano Atlántico!

—¡El Atlántico! —murmuró Gil con respeto.

Y ya no vio sino cielo y agua, o, por mejor decir, cielo solamente.

El carro parecía vagar en el vacío, fuera de la atmósfera terrestre.

Las estrellas brillaban en todas partes: bajo sus pies, sobre su cabeza, en derredor suyo..., dondequiera que fijaba la vista.

Así transcurrió otro minuto.

Al cabo de él percibió a lo lejos una línea purpúrea que separaba aquellos dos cielos, inmóvil el uno y flotante el otro.

Esta línea purpúrea convirtióse en roja y luego en

anaranjada; después se dilató brillante como el oro, iluminando la inmensidad de los mares.

Las estrellas desaparecieron poco a poco...

Dijérase que iba a amanecer.

Pero entonces volvió a salir la luna...

Sin embargo, apenas brilló un momento, cuando la luz del horizonte eclipsó su claridad...

—Está amaneciendo... —dijo Gil Gil.

—Al contrario... —respondió la *Muerte*—. Está anocheciendo; sólo que, como caminamos detrás del sol y mucho más deprisa que él, el ocaso va a servirnos de aurora y la aurora de poniente... Aquí tienes las lindas Azores.

En efecto: un gracioso grupo de islas apareció en medio del Océano.

La luz melancólica de la tarde, quebrándose entre nubes y filtrándose por la tiniebla de los ríos, daba al archipiélago un aspecto encantador.

Gil y la *Muerte* pasaron sobre aquellos oasis de los desiertos marinos sin detenerse un momento.

A los diez minutos salió el sol del seno de las olas, y levantóse un poco en el horizonte.

Pero la *Muerte* paró el carro, y el sol volvió a ponerse.

Echaron a andar de nuevo, y el sol tornó a salir.

Eran dos crepúsculos en uno.

Todo esto asombró mucho a nuestro héroe.

Anduvieron más y más, engolfándose en el día y en el Océano.

El reloj de Gil señalaba, sin embargo, las nueve y cuarto... de la noche, si así podemos decirlo.

Pocos minutos después la América del Norte surgió en los mares.

Gil vio al paso los afanes de los hombres, que ya labraban los campos, ya se deslizaban en buques por las costas, ya bullían por las calles de las ciudades.

En no sé qué parte distinguió una gran polvareda... Se daba una batalla.

En otro lado le hizo reparar la *Muerte* en una gran solemnidad religiosa... consagrada a un árbol, ídolo de aquel pueblo...

Más allá le designó a unos jóvenes salvajes, solos en un bosque, que se miraban con amor... Luego desapareció la Tierra otra vez, y penetraron en el mar Pacífico.

En la Isla de los Pájaros era mediodía.

Mil otras islas aparecieron a sus ojos por todos lados.

En cada una de ellas había costumbres, religión, ocupaciones diferentes. ¡Y qué variedad de trajes y de ceremonias!

Así llegaron a la China, donde estaba amaneciendo.

Este amanecer fue un anochecer para nuestros viajeros.

Otras estrellas distintas de las que habían visto con anterioridad decoraron la bóveda celeste.

La luna volvió a brillar hacia Levante, y se ocultó en seguida.

Ellos continuaban volando con más rapidez que gira la Tierra sobre su eje.

Cruzaron, en fin, el Asia, donde era de noche; dejáronse a la izquierda las cordilleras del Himalaya, cuyas eternas nieves brillaban a la luz de los luceros; pasaron por las orillas del mar Caspio; viraron un poco hacia la izquierda e hicieron alto en una colina al lado de cierta ciudad, donde era medianoche en aquel momento.

—¿Qué ciudad es ésa? —preguntó Gil Gil.

—Estamos en Jerusalén —dijo la *Muerte*.

—¿Ya?

—Sí... Poco nos falta para haber dado la vuelta a la Tierra. Me detengo aquí porque oigo las doce de la noche y yo no dejo de arrodillarme nunca a esta hora.

—¿Por qué?

—Para adorar al Criador del Universo.

Y así diciendo, descendió del carro.

—Yo también quiero contemplar la ciudad de Dios y meditar sobre sus ruinas —repuso Gil, arrodillándose al lado de la *Muerte* y cruzando las manos con fervorosa piedad.

Cuando ambos hubieron terminado aquella oración, la *Muerte* recobró su locuacidad y su alegría, y, entrando otra vez en el carro precedida de Gil Gil, dijo de esta manera:

—Aquella aldea que ves sobre un monte es *Getsemaní*. En ella estuvo el Huerto de las Olivas. A este otro lado distinguirás una eminencia coronada por un templo que se destaca sobre un campo de estrellas... ¡Es el Gólgota! ¡Ahí pasé el gran día de mi vida!... Creí haber vencido al mismo Dios..., y vencido lo tuve durante muchas horas... Pero, ¡ay!, que también fue en este monte donde, tres días después, me vi desarmada y anulada al amanecer de un domingo... ¡Jesús había resucitado! También presenciaron estos sitios, en la misma ocasión, mis grandes combates personales con la Naturaleza... Aquí fue mi duelo con ella; aquel terrible duelo... (a las tres de la tarde; me acuerdo perfectamente) en que, no bien me vio blandir la lanza de Longinos contra el pecho del Redentor, empezó a tirarme piedras, a desarreglarme los cementerios, a resucitar los muertos... ¡Qué sé yo! ¡Creí que la pobre Natura había perdido el juicio!

La *Muerte* reflexionó un momento; y, alzando luego la cabeza, con más seriedad en el semblante, añadió:

—¡Es la hora!... Ha pasado la medianoche. Vamos a mi casa y despachemos lo que tenemos que hablar.

—¿Dónde vives? —preguntó tímidamente Gil Gil.

—¡En el Polo Boreal! —respondió la *Muerte*—.

¡Allí donde nunca ha pisado ni pisará pie humano!...
¡Entre nieves y hielos tan viejos como el mundo!

Dicho esto, la *Muerte* puso el rumbo hacia el Norte, y el carro voló con más celeridad que nunca.

El Asia Menor, el mar Negro, la Rusia y el Spitzberg desaparecieron bajo sus ruedas como fantásticas visiones.

Iluminóse luego el horizonte de vistosísimas llamas, reflejadas por un paisaje de cristal de roca.

Todo era silencio y blancura sobre la Tierra...

El resto del cielo estaba cárdeno, salpicado de casi imperceptibles astros.

¡La *Aurora boreal* y el hielo!... He aquí toda la vida de aquella pavorosa región.

—Estamos en el Polo... —dijo la *Muerte*—. Hemos llegado.

XVI

LA MUERTE RECOBRA SU SERIEDAD

Si Gil Gil no hubiera visto ya tantas cosas extraordinarias durante su viaje aéreo; si el recuerdo de Elena no ocupase completamente su imaginación; si el deseo de saber adónde le llevaba la *Muerte* no conturbase su contristado espíritu, ocasión muy envidiable era en la que se veía para estudiar y resolver el mayor de los problemas geográficos: la forma y la disposición de los polos de la Tierra.

Los límites misteriosos de los continentes y del mar polar, confundidos por eternos hielos; la prominencia o el abismo que, según opuestas opiniones, ha de señalar el paso del eje racional sobre el que gira nuestro globo; el aspecto de la bóveda estrellada, en la cual distinguiría entonces a un mismo tiempo todos los astros que esmaltan los cielos de la América del

Norte, de la Europa entera, del Asia, desde Troya hasta el Japón, y de la parte septentrional de los dos Océanos; el ardiente foco de la aurora boreal, y, en fin, tantos otros fenómenos como persigue la ciencia inútilmente hace muchos siglos a costa de mil ilustres navegantes que han perecido en aquellas pavorosas regiones, hubieran sido para nuestro héroe cosas tan claras y manifiestas como la luz del día, y nosotros podríamos hoy comunicarlas a nuestros lectores...

Pero pues Gil no estaba para semejantes observaciones, ni nosotros podemos hacernos cargo de cosa alguna que no tenga relación con nuestro cuento, quédese el género humano en su ignorancia respecto al Polo, y continuemos esta relación.

Por lo demás, con recordar nuestros lectores que a la sazón eran los primeros días de un mes de septiembre, comprenderán que el sol brillaba todavía en aquel cielo, donde no había sido de noche ni un solo instante durante más de cinco meses.

A su pálida y oblicua luz descendieron del carro nuestros dos viajeros, y cogiendo la *Muerte* la mano de Gil Gil, le dijo con afable cortesía:

—Estás en tu casa: entremos.

Un colosal témpano de hielo se elevaba ante sus ojos.

En medio de aquel témpano, especie de muro de cristal clavado en una nieve tan antigua como el mundo, había cierta prolongada grieta que apenas permitía pasar a un hombre.

—Te enseñaré el camino... —dijo la *Muerte* pasando delante.

El *Duque de la Verdad* se paró, no atreviéndose a seguir a su compañero.

Pero ¿qué hacer? ¿Adónde huir por aquel páramo infinito? ¿Qué camino tomar en aquellas blancas e interminables llanuras del hielo?

—¡Gil! ¿No entras? —exclamó la *Muerte*.

Gil dirigió al pálido sol una última y suprema mirada, y penetró en el hielo.

Una escalera de caracol, tallada en la misma congelada materia, condújole por retorcida espiral hasta un vasto salón cuadrado, sin muebles ni adorno alguno, todo de hielo también, que recordaba las grandes minas de sal de Polonia o las estancias de mármol de los baños de Ispahán [14] y de Medina [15].

La *Muerte* se había acurrucado en un rincón, sentándose sobre las piernas como los orientales.

—Ven acá, siéntate a mi lado y hablaremos —le dijo a Gil.

El joven obedeció maquinalmente.

Reinó un silencio tan profundo, que se hubiera oído la respiración de un insecto microscópico si en aquella región pudiese existir ser alguno que no contase con la protección de la *Muerte*.

Del frío que hacía, cuanto dijéramos sería poco.

Imaginaos una total ausencia de calor: una negación completa de vida; la cesación absoluta de todo movimiento; la muerte como forma del ser, y aún no habréis formado idea exacta de aquel mundo cadáver...; o más que cadáver, puesto que no se corrompía ni se transfiguraba, y no daba, por consiguiente, pasto a los gusanos, ni abono a las plantas, ni elementos a los minerales, ni gases a la atmósfera.

Era el caos sin el embrión del universo; era la nada bajo la apariencia de hielos seculares.

Sin embargo, Gil Gil soportaba aquel frío gracias a la protección de la *Muerte*.

—Gil Gil... —exclamó ésta con reposado y majestuoso acento—, ha llegado la hora de que brille ante tus ojos la verdad en toda su magnífica desnudez: voy

---

[14] *Ispahan* o Isfahan: Famosa capital de la antigua Persia, con magníficos palacios, mezquitas y jardines.
[15] *Medina*: Ciudad sagrada del Islam en Arabia, donde se encuentra la tumba de Mahoma.

a resumir en pocas palabras la historia de nuestras relaciones y a revelarte el misterio de tu destino.

—Habla... —respondió Gil Gil denodadamente.

—Es indudable, amigo mío —continuó la *Muerte*—, que quieres vivir; que todos mis esfuerzos, que todas mis reflexiones, que las revelaciones que te hago a cada momento, son ineficaces para apagar en tu corazón el amor a la vida...

—¡El amor a Elena querrás decir! —interrumpió el joven.

—El amor al amor... —replicó la *Muerte*—. El amor es la vida, la vida es el amor...: no desconozcas esto... Y si no, piensa en una cosa que habrás comprendido perfectamente en tu gloriosa carrera de médico y durante el viaje que acabamos de hacer. ¿Qué es el hombre? ¿Qué significa su existencia? Tú lo has visto dormir de sol a sol y soñar durmiendo. En los intervalos de este sueño, tenía delante de sí doce o catorce horas diarias de vigilia, que no sabía en qué emplear. En una parte, lo has hallado con las armas en la mano matando semejantes suyos; en otra lo has visto cruzar los mares a fin de cambiar de alimentos. Quiénes se afanaban por vestirse de este o de aquel color; quiénes agujereaban la tierra y extraían metales con que adornarse. Aquí ajusticiaban a uno; allí obedecían ciegamente a otro. En un lado, la virtud y el derecho consistían en tal o cual cosa; en otro lado, consistían en lo adverso. Éstos tenían por verdad lo que aquéllos juzgaban error. La misma belleza te habrá parecido convencional e imaginaria, a medida que hayas pasado por Circasia, por la China, por el Congo o por los esquimales. También te será patente que la ciencia es un experimento torpísimo de los efectos más inmediatos o una conjetura desatinada de las causas más recónditas, y que la gloria es una palabra hueca añadida por la casualidad, nada más que por la casualidad, al nombre de este o de aquel cadáver. Habrás comprendido, en fin, que todo lo que hacen los hombres es un juego de niños para pasar el tiempo; que sus miserias y sus grandezas son relativas; que su civilización, su organización social, sus más serios intereses, carecen de sentido común; que las modas, las costumbres, las jerarquías, son humo, polvo, vanidad de vanidades... Mas ¿qué digo vanidad? ¡Menos aún! ¡Son los juguetes con que entretenéis el ocio de la vida; los delirios de un calenturiento; las alucinaciones de un loco! Niños, ancianos, nobles, plebeyos, sabios, ignorantes, hermosos, contrahechos, reyes, esclavos, ricos, mendigos..., todos son iguales para mí: todos son puñados de polvo que deshace mi aliento. ¡Y aún clamarás por la vida! ¡Y aún me dirás que deseas permanecer en el mundo! ¡Y aún amarás esa transitoria apariencia!

—¡Amo a Elena!... —replicó Gil Gil.

—¡Ah! Sí... —continuó la *Muerte*—. La vida es el amor; la vida es el deseo... Pero el ideal de ese amor y de ese deseo no debe ser tal o cual hermosura de barro... ¡Ilusos, que tomáis siempre lo próximo por lo remoto! La vida es el amor; la vida es el sentimiento; pero lo grande, lo noble, lo revelador de la vida, es la lágrima de tristeza que corre por la faz del recién nacido y del moribundo, la queja melancólica del corazón humano que siente hambre de ser y pena de existir, la dulcísima aspiración a otra vida, o la patética memoria de otro mundo. El disgusto y el malestar, la duda y la zozobra de las grandes almas que no se satisfacen con las vanidades de la Tierra, no son sino un presentimiento de otra patria, de una más alta misión que la ciencia y el poder; de algo, en fin más infinito que las grandezas temporales de los hombres y que los hechizos deleznables de las mujeres. Fijémonos ahora en ti y en tu historia, que no conoces; descendamos al misterio de tu anómala existencia; expliquemos las razones de nuestra amistad. Gil Gil, tú lo has dicho; de cuantas supuestas felicidades ofrece la vida, una sola deseas, y es la posesión de una mujer. ¡Grandes conquistas he hecho en tu espíritu, por consiguiente! Ni poder, ni riquezas, ni honores, ni gloria..., nada sonríe a tu imaginación... Eres, pues, un filósofo consumado, un cristiano perfecto... y a este punto he querido encaminarte... Ahora bien, dime: si esa mujer hubiera muerto, ¿sentirías el morir?

Gil Gil se levantó dando un espantoso grito.

—¡Cómo! —exclamó—. ¿Elena...?

—Cálmate... —continuó la *Muerte*—. Elena se halla tal como la dejaste... Hablamos en hipótesis. Así, pues, contéstame.

—¡Antes de matar a Elena, quítame la vida! He aquí mi contestación.

—¡Magnífico! —replicó la *Muerte*—. Y dime: si supieras tú que Elena estaba en el cielo esperándote, ¿no morirías tranquilo, contento, bendiciendo a Dios y encomendándole tu alma?

—¡Oh! Sí. ¡La muerte sería entonces la resurrección! —exclamó Gil Gil.

—De modo... —prosiguió el tremendo personaje— que, con tal de ver a tu lado a Elena, nada te importa lo demás...

—¡Nada!

—Pues bien: ¡sábelo todo! Hoy no es en el mundo católico el día 2 de septiembre de 1724, como acaso te imaginas... Hace muchísimos más años que tú y yo somos *amigos*...

—¡Cielos! ¿Qué me dices? ¿En qué año estoy?

—El siglo dieciocho ha pasado, y el diecinueve, y el veinte, y algunos más. La Iglesia reza hoy por San Antonio, y es el año de 2316.

—¡Conque estoy muerto!

—Hace muy cerca de seiscientos años.

—¿Y Elena?

—Murió cuando tú. Tú moriste la noche en que nos conocimos...

—¿Cómo? ¿Me bebí el aceite vitriolo?

—Hasta la última gota. En cuanto a Elena, murió del sentimiento cuando supo tu desgraciado fin. Hace, pues, seis siglos que los dos os halláis en mi poder.

—¡Imposible! ¡Tú me vuelves loco! —exclamó Gil Gil.

—*Yo no vuelvo loco a nadie*... —replicó la *Muerte*—. Escucha, y sabrás todo lo que he hecho en tu favor. Elena y tú moristeis el día que te digo; Elena, destinada a subir a la mansión de los ángeles el día del *Juicio final,* y tú, merecedor de todas las penas del infierno. Ella, por inocente y pura; tú, por haber vivido olvidado de Dios y alimentando viles ambiciones. Ahora bien: el *Juicio final* se celebrará mañana, no bien den las tres de la tarde en Roma.

—¡Oh, Dios mío!... ¡Conque se acaba el mundo! —exclamó Gil Gil.

—¡Ya era tiempo! —replicó el formidable ser—. Al fin voy a descansar...

—¡Se acaba el mundo! —tartamudeó Gil Gil con indecible espanto.

—¡Nada te importe! Tú no tienes ya nada que perder. Escucha. Viendo hoy que se acercaba el *Juicio final, yo* (que siempre te tuve predilección, como ya te dije la primera vez que hablamos) y Elena, que te amaba en el Cielo tanto como te había amado en la tierra, suplicamos al Eterno que salvase tu alma. «Nada debo hacer por el suicida... —nos respondió el Criador—: os confío su espíritu por una hora; mejoradlo si podéis. «¡Sálvalo!» —me dijo Elena por su parte—. Yo se lo prometí y bajé a buscarte al sepulcro, donde dormías hace seis siglos. Sentéme allí, a la cabecera de tu féretro, y te hice soñar con la vida. Nuestro encuentro, tu visita a Felipe V, tus escenas en la corte de Luis I, tu casamiento con Elena, todo lo has soñado en la tumba. *¡En una sola hora has creído pasar tres días de vida,* como *en un solo instante habías pasado seiscientos años de muerte!*

—¡Oh!... No... ¡No ha sido un sueño! —exclamó Gil Gil.

—Comprendo tu extrañeza... —replicó la *Muerte*—. ¡Te parecía verdad!... ¡Eso te dirá lo que es la vida! Los sueños parecen realidades, y las realidades, sueños. Elena y yo hemos triunfado. La ciencia, la experiencia y la filosofía han purificado tu corazón, han ennoblecido tu espíritu, te han hecho ver las grandezas de la tierra en toda su repugnante vanidad, y he aquí que huyendo de la muerte, como lo hacías ayer, no huías sino del mundo, y que, clamando por un amor eterno, como lo haces hoy, clamas por la inmortalidad. ¡Estás redimido!

—Pero Elena... —murmuró Gil Gil.

—¡Se trata de Dios!... No pienses en Elena. Elena no existe ni ha existido realmente jamás. Elena era la belleza, reflejo de la inmortalidad. Hoy que el Astro de verdad y de justicia recoge sus resplandores, Elena se confunde con Él para siempre. ¡A Él, pues, debes encaminar tus votos!

—¡Ha sido un sueño! —exclamó el joven con indecible angustia.

—Y eso será el mundo dentro de algunas horas: un sueño del Criador.

Diciendo así la *Muerte,* levantóse, descubrió su cabeza y alzó los ojos al cielo.

—Amanece en Roma... —murmuró—. Empieza el *último día.* Adiós. Gil... ¡Hasta nunca!

—¡Oh! ¡No me abandones! —exclamó el desgraciado.

—«*¡No me abandones!*», dices a la *Muerte.* ¡Y ayer huías de mí!

—¡Oh!... ¡No me dejes aquí solo, en esta región de desconsuelo!... ¡Esto es una tumba!...

—¿Qué? —repuso la negra divinidad con ironía—. ¿Tan mal te ha ido en ella seiscientos años?

—¿Cómo? ¿He vivido aquí?

—¡*Vivido!* Llámalo como quieras. Aquí has dormido todo ese tiempo.

—¿Conque éste es mi sepulcro?

—Sí..., amigo mío..., y, no bien desaparezca yo, te convencerás de ello. ¡Sólo entonces sentirás todo el frío que hace en esta mansión!

—¡Ah!... ¡Moriré instantáneamente! —exclamó Gil Gil—. Estoy en el *Polo boreal.*

—No morirás, porque estás muerto; pero dormirás hasta las tres de la tarde, en que despertarás con todas las generaciones.

—¡Amiga mía!... —gritó Gil Gil con indescriptible amargura—. ¡No me dejes o haz que siga soñando! Yo no quiero dormir... ¡Ese sueño me asusta!... ¡Este sepulcro me ahoga! ¡Vuélveme a aquella quinta del Guadarrama, donde imaginé ver a Elena, y sorpréndame allí la ruina del universo! Yo creo en Dios, y acato su justicia, y apelo a su misericordia... Pero volvedme a Elena!

—¡Qué inmenso amor! —dijo la deidad—. Él ha triunfado de la vida, y va a triunfar de la muerte! ¡Él menospreció la Tierra y menospreciaría el Cielo! Será como deseas, Gil Gil... Pero no olvides tu alma...

—¡Oh! ¡Gracias..., gracias, amiga mía!... ¡Veo que vas a llevarme al lado de Elena!

—No; no voy a llevarte. Elena duerme en su sepulcro. Yo la haré venir aquí, a que duerma a tu lado las últimas horas de su muerte.

—¡Estaremos un día enterrados juntos! ¡Es demasiado para mi gloria y mi ventura! ¡Vea yo a Elena; óigala decir que me ama; sepa que permanecerá a mi lado eternamente, en la Tierra o el Cielo, y nada me importa la noche del sepulcro!

—¡Ven, pues, Elena; yo lo mando! —dijo la *Muer-*

te con cavernoso acento, llamando en la Tierra con el pie.

Elena, tal como quedó, al parecer, en el jardín del Guadarrama, envuelta en sus blancas vestiduras, pero pálida como el alabastro, apareció en medio de la estancia de hielo en que ocurría esta maravillosa escena.

Gil Gil la recibió arrodillado, inundado de lágrimas el rostro, con las manos cruzadas, fija una mirada de profunda gratitud en el apacible semblante de la *Muerte*.

—Adiós, amigos míos... —exclamó ésta...—. ¡Tu mano, Elena! —balbuceó Gil Gil.

—¡Gil mío! —murmuró la joven, arrodillándose al lado de su esposo.

Y con las manos enlazadas y los ojos levantados al cielo, respondieron al *adiós* de la *Muerte* con otro melancólico *adiós.*

La negra divinidad se retiraba en tanto lentamente.

—¡Hasta nunca! —murmuraba la Amiga del hombre al alejarse.

—¡Mío para siempre! —exclamaba Elena estrechando entre las suyas las manos de Gil Gil—. ¡Dios te ha perdonado, y viviremos juntos en el cielo!

—¡Para siempre! —repitió el joven con inefable alegría.

La *Muerte* desapareció en esto.

Un frío horrible invadió la estancia, e instantáneamente Gil Gil y Elena quedaron helados, petrificados, inmóviles en aquella religiosa actitud, de rodillas, cogidos de las manos, con los ojos alzados al cielo, como dos magníficas estatuas sepulcrales.

Pocas horas después estalló la Tierra como una granada.

Los astros más próximos a ella átrajeron y se asimilaron los fragmentos de la deshecha mole, no sin que la anexión les originase tremendos cataclismos, como diluvios, desviaciones de sus ejes polares, etc.

La Luna, casi intacta, pasó a ser satélite, no sé si de Venus o de Mercurio.

Entretanto se había verificado el *Juicio final* de la familia de Adán y Eva, no en el valle de Josafat, sino en el cometa llamado de Carlos V, y las almas de los réprobos fueron desterradas a otros planetas, donde hubieron de emprender nueva vida... ¿Qué mayor castigo?

Los que se purifiquen en esta segunda existencia alcanzarán la gloria de volver al seno de Dios el día que desaparezcan aquellos astros...

Los que no se purifiquen aún habrán de emigrar a otros cien mundos, donde peregrinarán del mismo modo que nosotros peregrinamos por el nuestro...

En cuanto a Gil y Elena, aquella tarde entraron en la *Tierra de Promisión,* cogidos de la mano, libres para siempre de duelo y penitencia, salvos y redimidos; reconciliados con Dios, partícipes de su bienaventuranza y herederos de su gloria, ni más ni menos que el resto de los justos y de los purificados...

Por lo demás, yo puedo terminar mi cuento del propio modo que terminan las viejas todos los suyos diciendo que *fui, vine y no me dieron nada.*

Guadix, 1852.

page — 33 — Al Sur de Granada
by G. Brenan.